辛丰年文集 卷五

处处有音乐

辛丰年 著

严锋 编

SMPH
上海音乐出版社

出 版 说 明

辛丰年（1923—2013），本名严格，江苏南通人。1945年开始在新四军从事文化工作，1976年退休。20世纪80年代以来，辛丰年为《读书》《音乐爱好者》《万象》等杂志撰写音乐随笔，驰誉书林乐界。著有《乐迷闲话》《如是我闻》等书十余种。先生早年因投笔从戎，未能完成初中学业，后读书自学成癖，并迷上音乐，晚年转向文史阅读。终其一生，辛丰年是一个彻底的理想主义者，一个纯粹的人文主义者，一个真理与美的追求者。

2018年，上海音乐出版社成功出版"辛丰年音乐文集"六种。时隔五年，适逢先生百年诞辰，本社以音乐文集为基础，再收入辛丰年信札、随笔合集一种和译作一种，总计八种。

音乐美好，人生美好。纪念先生美好而正直的一生。

上海音乐出版社有限公司

2023年7月

像音乐一样美好

无论在他生前身后，我想到父亲的时候，最常有的感觉是惊奇：世上怎么会有这样的人，世上竟还有这样的人。我不是感叹他的学问有多好，文章写得有多好，而是惊讶还有这么好的人。

我当然知道，作为一个儿子，用"好人"来形容自己的父亲，这没有什么意义，在今天更是如此。在一个假道德、非道德、反道德、后道德混杂的时代，对道德的冷感和犬儒态度是可以理解的。但是，我对道德理想主义依然抱有信念，因为我身边确实有一个真实的例证。

这不仅是我个人的看法，也是接触过他的所有人的印象。中国人有替他人扬善隐恶的习惯，通常对文化老人会有溢美之词，但是我看别人写他的文章，深知对他的所有美好回忆都是真的，而且只是沧海一粟。

惊讶之余，必有疑惑。我常常想，他那样的人究竟是怎样炼成的。是父母教的吗？好像不是。他的母亲很早就去世，他的父亲是一个威严而粗暴的小军阀，民国时代做过上海警备司令兼上海警察厅长和上海卫生厅长——我小时心目中标准的"坏人"。是学校教的吗？他初二就肄业了，其后全靠自学。

那么是另一个巨大的熔炉吗？他确实像同时代的许多青年，响应了时代的强烈呼唤。对于家族，父亲有一种根深蒂固的羞耻感和赎罪心，这种原罪的意识，从20世纪40年代接触革命思想，到"文革"中的吃尽苦头，一直到发家致富光荣的改革开放的今天，他从来没有改变过。

还有家国之耻。父亲说，他当年跑到解放区，是因为家不远处和平桥就是日本宪兵队，每次经过那里都要向日本人鞠躬，感觉非常屈辱。他总是绕道跃龙桥，避开日本人。他也不喜欢蒋介石，因为常去邹韬奋的生活书店看进步书籍，特别在青年会图书馆（在大世界隔壁）看了华岗的《1925—1927中国大革命史》，痛恨蒋的屠杀，从此对国民党幻灭。

但是最直接的动因，是一本叫《罪与罚》的小说，作者陀思妥耶夫斯基。2010年的时候父亲有一天打电话说他把这本书的英文版又看了一遍。他还告诉我，当年他投身新四军，最初不是因为读了马克思的书，而是因为震撼于《罪与罚》呈现的罪孽。无论如何，推动父亲一路走来的是一种对人间的绝对正义的追求，一种刻骨铭心的悲天悯人的情怀。他是一个无可救药的人道主义者。

还有音乐，终生自学，终生挚爱。战争年代，父亲在部队所到之处，会寻访当地音乐人，向他们请教和借乐谱抄写。在他的行军背包中，还放着德沃夏克《自新大陆交响曲》的总谱。原江苏文联秘书长章品镇先生是他的革命引路人，1945年他们一同从上海坐船到苏中分区参加新四军。两人相约仿效巴托克，随军每到一处，即以纸笔记录当地民歌。我曾见他们在异地交流采风的信件。对于他们那一代的文艺青年来说，革命是最浪漫的诗篇；对父亲来说，革命是最宏伟的交响乐章。

雨果在《九三年》中说："在绝对正确的革命之上，还有一个绝对正确的人道主义。"我父亲的一生，实践的就是雨果的这句名言，并且再加一句：在这两者之上，还有一个绝对美好的音乐。

严　锋

目　录

杂话《月光曲》二百年

今年是贝多芬发表《月光奏鸣曲》的二百周年。一首曲子经得起二百年时光的考验，不愧是"经典"了。名列于"经典"之林而又能始终受着大众的宠爱的，其实不太多。《月光曲》（往昔中国的爱乐者都喜欢此一简化的名称）在贝多芬的三十二首奏鸣曲中算不上是顶深刻之作，然而从流行的广泛来说，它却在排行榜上前几名里面。甚至许多并不对音乐感兴趣的人往往也知道它是名曲。

"月光"其实只是个外号、别名。有趣的是贝多芬生前也没想到，他自题为"幻想曲风升 c 小调奏鸣曲"的此作，在他身后会被人们取上这样一个浪漫情调的别名，而且掩盖了正式的曲题。不过此作发表后也就得了个"茅亭奏鸣曲"的俗名。因为有人介绍说，它是贝多芬在纳凉的茅亭里谱成的。当时有爱为乐曲取外号的风气，比如海顿所作的一百零四部交响曲、八十四部弦乐四重奏，外号五花八门。而这事也和出版商不无关系，有外号，引人注目，那曲子的主顾自然会多了。

贝多芬去世之后，才出现了"月光"一名。这事一般认为同诗人莱尔希塔勃[1]有关。在一篇乐评文字中他说此曲第一乐章的意境，让他想到了瑞士琉森湖上的月色云云。

如果以为此曲之广泛流行是外号"月光"的功劳，那倒也不尽然了。1802年4月此作问世之后，很快便流行开了。爱好者显然热度颇高，竟至弄得贝多芬向他的高足车尔尼发了一通牢骚，说什么"我还有比它更好的作品呢，大家为什么只注意它"！

纪念《月光曲》二百周年，我也有个人的感慨。从一个乐盲变成乐迷，《月光曲》是我听的第一首大作品，那是六十几年前之事了。找了这首曲子来作为读乐第一课是无知可笑的。今天要是有谁找我"导游"，我绝不会叫他先听此作。因为《月光曲》虽然在三十二首奏鸣曲中不是最艰深的，却也不是很好懂的。想当年我一买来《月光曲》的唱片，如获至宝，开始虔诚地倾听，哪知茫然不解，如读天书！当时如此，毫不足怪，但几十年来，反复细听无数遍，也看了乐谱，又在琴上学弹了前两章。以音符论，几乎熟得听上句便知下句了，但坦白地讲，并未读通，食而不知其味！

当初决心要听《月光》，是受了一篇音乐故事的诱惑。说

1 Ludwig Rellstab，现在通常译为莱尔斯塔勃。

是乐圣月下漫游，听到一位盲女在习琴，他恻然心动，乐兴大发，乃于琴上即兴弹出了这一曲，湖光月色，景中人、情都被他收进了曲中云云。

平生买的第一套唱片也便是《月光曲》。当然是那种老片子。哥伦比亚公司出品，十二英寸的大唱片共两张，正反共四面，《月光》占了三面。独奏家是美国人鲍尔[1]，他是帕德雷夫斯基的门生。

虽然《月光曲》并未带我向音乐之门靠拢，我没有丧气，反而激发了更大的好奇心，因为它让我发现世界上竟有这样的艺术，不管它怎样深奥难测，但明明是言之有物的，值得去努力探究的。所以后来虽然知道了故事是子虚乌有的，我对编造者只有感激而毫无怨言。

想来像我这样上了那篇美妙谎言的当的人不在少数，由于此作出版时是题献给一位伯爵小姐奎恰迪[2]的，许多人也便向曲中去寻觅恋爱的情节。不过据研究者考证，那也事无确证。1803年便嫁了个花花公子的伊人在贝多芬去世多年后依然健在，有个传记作者曾去访问过她。问起《月光曲》创作背景之事，她说："写此曲的那时，贝多芬心上并没有我这个人。"

《月光曲》突破前规，用慢板乐章来开头。其中意象，如要同什么浮云掩月、湖上恋歌附会，自不太难。但有研究者发

---

1 鲍尔为英国人，此处应是作者记忆有误。
2 Guicciardi，现在通常译为圭恰迪。

现，贝多芬对莫扎特的歌剧《唐璜》深感兴趣，特别注意其中某一段音乐，曾经亲自抄写下来，那是一段哀伤的音乐。写《月光曲》时可能受了那音乐的影响。那么有人听《月光曲》第一乐章，觉得是一曲送葬的哀歌，也就不奇怪了。叫人想不到的是柏辽兹对《月光曲》别有会心，据说他从中感受到了阳光！总之，《月光曲》的创作意图迄今难有确论。

当年初听，对第一章尚且跟景物对不上号，听到小快板的中间那一章更是摸不着头脑一片茫然了！虽然李斯特形容此一章的警句是看到过的，"它是两个深渊之间的一朵小花"，仍觉无从捉摸，不知它在说什么。垂老之年才听出些味道，渐渐地特别欣赏这短小精悍、密度很大的乐章了，觉得它简练含蓄，语短情浓，贝多芬是在用宣叙风的语言悄然独白。音乐既不像老式的小步舞曲，又不是他后来常用的谐谑风，介乎二者之间，兼有二者之趣。

三章合起来听，首章如歌，次章如话又似舞，末章则如激情之剧，对比之鲜明很容易引起注意。但是要连贯地通观全曲，综合地领略作者乐想的整体构思，那就谈何容易了。比如评家要我们注意，中间乐章开头的那支主题是从首章开始处的低声部演化而来，又如独奏家肯普夫分析说，末章的急风暴雨临近结局前，突然肃静下来，转为柔板，低声部接连两小节轻奏两声八度音程，此时，贝多芬的内心听觉很可能返听到了第一章里那一串三连音的幽灵般的回响。

肯普夫认为，过度流行，哪怕对于最伟大的作品来讲也是不利的。他是说过多的重复演奏和听赏会损害作品的严肃性与新鲜感。《月光曲》正是过度流行、过度重复演奏与听赏的一个好例子。经历了二百年而未丧失其新鲜感吗？不知道！很可能是由于它又有魅力又并不好懂，才维持了它的新鲜感，正因为不好懂，便有悬念，叫人听了仍要听，也淘汰了那些漫不经心、不求其解的伪爱乐者。

凡是广泛流行的作品，便会有将其改编、移植的要求，爱好者有要求，也就会有市场供应。《月光曲》第一章正好又是颇适合拿来改编的。曾听过一张老唱片，弦乐演奏高音部中如歌的主旋律，中声部的三连音之流则仍用钢琴。个人的感受是这样的改编令人气闷，毫不足取。却也可以更加显出原作在钢琴化这一点上的成功。难怪论者指出，此曲在有的方面启发了印象派乐人。

有人将中间乐章改编为弦乐四重奏。那也许倒颇可发挥原作那抑扬顿挫如诉如舞的情绪，可惜至今无缘一听。

难以设想的是另一种改编，据说是有人拿首章改成加了乐队来合唱《慈悲经》（弥撒曲中的一部分）。这又说明那种从第一章中听出葬礼哀乐的不是个别人了。

说不定更有助于寻绎作者本意的一事是，竟有人试图劝说贝多芬自己来给首章中的旋律配上歌词，而他本人也答应了。由此看来，当时有的人是把它当无词歌来听而作者自己也好像是心里有潜台词的了？此事未能实现，真是乐史中一大遗憾，否则，也就可以省掉许多人索隐与猜谜的麻烦了。

有件事说来有乐史意义，值得一提。用羽管键琴演奏《月光》的录音，没听过，但我觉得那是不妨来想象甚至试验一下，同钢琴上的效果做个比较的。《月光曲》二百年前发表时，附有说明："为钢琴或羽管键琴而作。"更有趣者，按创作时间早迟来排，《月光》是三十二首奏鸣曲中第十四首，但前面那若干首都注明"为羽管键琴或钢琴而作"。这种次序的挪动绝不是无关紧要的，这说明在作者、奏者与听者心目中，偏好发生了微妙的变化。经历了将近百年的马拉松竞赛，钢琴这新锐的乐器终于领先了。人们可能会想不到，写《月光曲》之际，贝多芬使用的一架瓦尔特牌钢琴，音域仅仅有五个八度，那音域同一架幼儿园老师弹的小风琴是一样的。

贝多芬虽然在羽管键琴和钢琴中优选了后者，但他对当时那种钢琴的表现能力是绝不会满意的。钢琴制造日新月异，贝多芬也不断地换新产品。他一生中用过五架，一架比一架音域宽、音响好，虽然可怜的乐圣听觉每况愈下。写《月光曲》时他的听力刚出毛病不久，最后一架布罗伍德琴到他手中，他已经快全聋了！

我想，纪念《月光曲》问世二百年，我们也应该纪念钢琴出世的三百年。

六十几年前，本人用一架手提唱机放《月光曲》，音响微弱，音质走样，更糟糕者，那速度虽可调节，一定是不精确的。我的爱乐启蒙的第一课便从此开始了！

美国学者、钢琴教育家恩斯特·克勒默认为，《月光奏鸣曲》的艺术生命再延续二百年是没问题的。

但愿如此！本人也愿在风烛残年中继续并未修完的这一课：倾听《月光曲》。

瓦格纳造访罗西尼

"我本无心说老话，谁知老话逼人来！"（李笠翁句。改原诗中"笑"为"老"。）

话说五十九年前有一天，我蹲在老上海"老商务"附近一家弄堂口旧书摊前，乱翻着一堆霉气刺鼻快要散架的谱子。忽然眼睛一亮，心花大放，一本收了《塞维利亚的理发师》序曲的乐谱被我无意之间挖出来了！

说起来难为情，那不过是用曼陀铃来弹的改编本，然而我已经如获至宝了。罗西尼这一曲我只从一架蹩脚收音机里听过两三遍，就被它弄得心痒难搔。看了徐迟《乐曲与音乐家的故事》中的介绍，又对音乐背后那个人着了迷。

还有件事也叫我好奇。此曲并非那部歌剧的"原配"。原来的序曲还没来得及用便不翼而飞了，如今大家听来那么切题的序曲，早已在另外两部歌剧中使用过了。不但是张冠李戴而已！

　　贝多芬为了给他的歌剧《菲岱里奥》戴一顶最称心满意的帽子，前后写了四篇互不相似的序曲，篇篇都成了杰作。

　　两相对照，罗西尼的做法和实际效果不能不耐人寻思。

　　十年前，捧读了三大本（十六开本）每本近千页的萧伯纳乐评全集，罗西尼又把我吸引了。这首先是因为萧伯纳着了他的迷。而萧却又是个大大的瓦格纳"发烧友"！他写了好几篇谈罗西尼的文字。在瓦格纳红得发紫的年代，罗西尼之作由紫而红而黯然无色。萧伯纳却巴巴地去听一场罗西尼作品音乐会。他实在太想再听听罗西尼了！看清了并无乐评界同行在场，他还要求："再来它一遍！"

　　萧肯定了威尔第，发现了普契尼，但又认为，这类作品比起真正的鸿篇巨制《指环》来，不过是淡啤酒一杯罢了。

　　前不久，友人从旧书店淘到一本书，寄给我一读。一看书名：《瓦格纳造访罗西尼》！几十年前蹲在旧书摊前的惊喜，《理发师》[1] 序曲张冠李戴的可怪，拥瓦的萧恋恋于罗西尼的矛盾，一齐泛上心来。乐史、鉴赏，顿然变得像立体画与复调音乐！

　　新旧歌剧两巨头会谈，这段乐史要闻发生在 1860 年 3 月，地点是巴黎。

　　当是时也，罗西尼袖手不作歌剧，已三十有一年了。隐居

1　即《塞维利亚的理发师》。后文中出现的《新大陆》《芬格尔》等均为曲名简称，此后不再一一注释。

于歌剧新都巴黎，冷眼旁观歌剧舞台上的浮沉变幻。

瓦格纳虽已在他本国引人注目，但来到巴黎却碰上了从四面八方飞来的明枪暗箭。

一个是前一朝的歌坛遗老，一个是"未来音乐"（瓦氏这口号受够了论敌的嘲骂）的先知，居然碰头，对话，史无前例，也无后例——他们两个也仅此一面之缘。

主动求见老前辈的是瓦格纳。

见面前，彼此都不免有些想法。巴黎报界对"未来音乐"的旗手早已散布了种种流言，也编了些罗西尼评瓦格纳的趣闻。罗西尼的大客厅里"座上客常满"，流言也传到他耳中。

瓦格纳也摸不准将受到怎样的接待。流言他不会全当真，也不能全不信。

主人还在享受他的美食。在客厅里等着的瓦格纳指着壁上的画像，问带他来访的米希俄：看那相貌，看那似笑非笑的嘴皮子，是《理发师》的作者无疑了。也就是在那时画的吧？如此一表堂堂，又生在那维苏威火山的国度，娘儿们多情善感，想必他干下不少风流事吧？

《瓦格纳造访罗西尼》的报道者：如果他像唐璜，也有个贴身男仆为他登记"芳名册"（莫扎特《唐璜》中有这一段宣叙调）的话，总数恐怕超过一千零三吧。

瓦：岂可如此夸张！一千，我信，再加三个不行，太过分了。

男仆来告，大师有请。

罗西尼喜欢在自己那不大的寝室里见客。一见面:"呵,瓦格纳先生。你就像那个俄尔菲斯,不怕走进可怖的地方。"不容对方接话,紧跟着讲下去:"我有数,在阁下心中,我的面目已经被那些人的信口开河抹黑了。有关你我之间的评论,别人开的玩笑也不少。只是就我而言,却无从予以证实。其实,真要贬低某个人的作品,首先得熟悉它。如果是为舞台写的,还得上剧场去,光是看看谱子是不行的。可惜你的大作我还只听过一首,《汤豪塞》中的《大进行曲》。在肯辛顿治病的时候,常听到这曲子。我向你郑重保证,我觉得它非常美。"

听了这篇开诚布公的开场白,客人大为感动。

客人谈起在巴黎受到阴谋家的围剿,勾起了罗西尼对往事的回忆:"有哪个作曲家没尝过那滋味!我自己也未能幸免。何止是挨骂而已。想当年,《理发师》首演之夜,坐在乐池中用羽管键琴为宣叙调伴奏的我,提心吊胆,提防着那些满怀敌意的观众。我甚至觉得他们想要我的命。"

"1824 年来到巴黎,又受到了一伙捣蛋鬼的欢迎。在那之前,1822 年我去了维也纳。写过大量文章痛斥我的韦伯,揪住我不放,批评我的一部新作。"

历叙挨骂的经历以后,大师向瓦格纳传授了"挺经"(借用一下曾国藩的典故):"对付那些捣蛋者,最妙的办法还是无动于衷,置之不理。"

他三句不离本行,杂拌着一些音乐名词,发挥了一通这方面的处世之道："他们越是要来折磨我，我越是要回敬他们更多的华彩句。他们给我乱加恶名，我报之以三连音。我用弦乐拨奏来对他们冷嘲热讽，不管他们怎样喊喊嚓嚓吵吵嚷嚷，绝不会叫我在渐强乐段中不用大鼓槌狠敲他们几记，不在结尾用出人意表的效果吓他们一下。相信我吧，别看我头上套着假发，那并不是因为那些混帐东西损伤了我一根头毛！"

谈到他后来同韦伯相见，激动之情不亚于拜见贝多芬时的心情，瓦格纳抓住机会，求他谈谈贝多芬的情况，这便又岔出了一段乐史佚闻。

据罗西尼回想，一见面贝多芬就说："你就是那个写《理发师》的人，祝贺你！那可是精彩之作，只要意大利歌剧存在一天，它就会演下去。"

贝多芬提出了一个忠告："除了谐歌剧（opera，buffa），其他的东西别去写（按：他指的是正歌剧）。硬要写，就是同你自己的天性作对。"

说到这，罗西尼诉苦："我更情愿写谐歌剧，这是真心话。无奈剧本是老板交下的，我不能自己挑拣。也说不清有多少次了，台本不是整本而是一幕一幕地交给我。写这一幕的音乐不清楚下一幕是什么。我写是为了养活爹、妈、祖母，一年要写三四部（按，他在十九年中写了三十九部）。可别以为我挣了大钱，写《理发师》我拿到的是一千二百法郎，一次付清，外加衣服一套，钉的是金扣子。老板送这个是要让我体面地出场指挥。它值一百法郎。写那本戏我用了十三天。算起来每天正好一百。在父亲面前我洋洋得意。当年我吹小号，一天才挣两个半。"

瓦格纳仍想知道他见贝多芬是如何收场的。

罗西尼："见面时间并不长。他送客到房门口，再一次忠告：'最关紧要的是，多搞些《理发师》出来！'"

那次相见，时间太短，真遗憾！这回的两巨头会谈只一个半小时，岂非也成了历史的遗憾！更可惜的是，交谈被有关歌剧改革的问题占掉不少工夫。其实，如此重大题目，怎好在这样有限的时间里展开。何况罗西尼自己明明交代了，对手的作品他除了《大进行曲》一无所知。（容我多嘴，此曲今天反而听不大到了，除非你有时间听《汤豪塞》全剧，但买一套也值得，剧中的《大进行曲》以雄浑的人声合唱为主，改为乐队演奏便显得浅露了。而罗西尼听到的显然正是后者。）而且，他也未见得有那兴致去看瓦格纳写的文章，以了解关于"未来音乐"的高论吧？

总之，书中这方面的内容倒有点像一篇问答体的歌剧改革宣传提纲。然而有不少言谈风趣盎然，还是值得一抄。

瓦："传统歌剧，卖弄歌喉的咏叹调，淡而无味的二重唱，都像一副模子里印出来的。有些音乐类似正餐之前上的小吃，硬生生无缘无故地打断了正在进行的剧情。更可笑的是那种老一套的七重唱了。哪一出戏里都少不了它。根本不问各个角色的身份性格，彼此的关系，让他们全都走向台口，排成一行，皆大欢喜地和解了。"

罗插话："此类玩意，愚蠢可笑，我也完全意识到了。但这是老规矩，是对看官们的口味的通融。不照此办理，就朝你头上飞来了土豆片，弄不好还是囫囵的土豆。"

瓦（不大理会，仍往下讲）："还有那管弦乐伴奏、过门。管它什么人物、情节，反正是一个公式……"

罗（又诉苦）："那些卖弄歌喉的咏叹调，曾经害得我觉也睡不好。有几个大名角，居然来找我算帐，说什么不想干了，凭什么别人唱的咏叹调比我多若干小节，而且，颤音、装饰音也多一大把……"

瓦："那么，写曲子的除了一把尺子来帮忙也就无需多动脑筋了。"

罗西尼觉得，倘要按瓦格纳的要求去革新歌剧，作曲家非得自己动手来写剧本才行。

瓦格纳认为这并非办不到的事。本来最现成的例子就是剧本、作曲、舞台设计一手包揽的他自己这个全能作者。但他却以罗西尼最后一部作品《威廉·退尔》为例。

瓦："例证就在眼前。你写的《宣誓》那一场，能说是逐字逐句照着人家给你的台本配的曲？一位剧作家，不管他有多大才气，不可能为作曲家充分发挥其灵感提供最合适的安排，尤其是那种错综复杂的场面。"

罗（承认他说对了）："《宣誓》那一场确实是我自出心裁，来料加工。原来的台词改动了。写剧的人当时也不在。所幸有两个朋友助我一臂之力。"

如果贯彻瓦格纳的主张，传统咏叹调将会被宣叙风唱段取而代之。歌手、听众能答应吗？罗西尼对此有疑虑。

瓦（反问）："是听众造就大师，还是大师造就听众？难道不正是你这位大师让意大利人忘掉了你的前人，在罕见的短暂时间里便让你的音乐风靡一世？"

美妙的旋律会从此消逝吧？老前辈忧心忡忡。

瓦（要他放心）："旋律岂但不会消亡，还会生长发育到前所未闻的高度。"《威廉·退尔》中的旋律又成了现成的例证。他极口称赞罗西尼写的曲调既扣紧了歌词的抑扬顿挫，也达到了声情并茂的极致。

可惜，罗西尼的担忧并不全属杞忧。在瓦格纳的乐剧中，美妙的旋律大量移居到管弦乐中去了。《指环》中的新腔唱段，在老派人听来是怎样的逆耳，且听听萧伯纳的自忏吧：

"我喜欢在钢琴上自弹自唱《指环》中的唱段。害得老母亲差一点发神经病。这位一生唱惯老派咏叹调的歌手，只听见我唱来唱去还是宣叙调，外加不和谐得要命，她实在吃不消。又不忍扫了儿子的雅兴，有时难过得恨不能大哭一场。直挨到我们母子分手之时她才将这一肚子苦水向我倒了出来。我悔恨无及，后来每一想起，就是自己曾经亲手杀过人，良心也没那么痛苦！"

瓦格纳的一番称颂引出了罗西尼的幽默。

罗："如此说来，我对'未来音乐'的理论虽然无知，却也写出了这种音乐了？"

瓦："哪儿的话，大师！你的音乐是属于一切时代的，也是最好的。"（按，不但语妙，且非虚言！）

瓦："呵，大师，假如你不在三十七岁那年一写完《威廉·退尔》便从此搁笔——作孽呵！你自己也不清楚从你那头脑中还会产生多少杰作！"

罗："假如不是无儿无女，毫无负担的话，我还会写下去的。但还有个叫我预感到传统意大利歌剧好景不长的重要原因是，阉人歌手从此不可能再有了！"

看！会晤的尾声又回到了对传统人声美的恋恋不舍那个主题。

有意思，这种迟暮之情还有声音伴奏。

那是一架古老的"录音机"！

当主人送客，踱过餐厅之际，罗西尼不期而然停住了脚步，指着一架小柜子模样的东西道："听听吧，这架小巧的机械管风琴要让你们听几支我家乡的民谣。"

开关一按，乐声响起。"谁作的？往昔的无名氏，早已不在人间了。然而，旋律依然活着。那么，百年之内，我辈写的曲调也能活下去？"

一门心思考虑着"未来音乐"的另一位大师，并不理会这些。

罗西尼的音乐中，令人无法抗拒其诱惑的，除了俏皮的旋律、泼辣的诙谐、明快的配器等等之外，更有他的拿手好戏：一种虚张声势、来势汹汹，又像压路机般迎头开过来的"罗西尼渐强"。

萧在《罗西尼百午祭》一文中特写了他这一手："……进行曲音型重复又重复，力度加倍再加倍，配器色调加浓复加浓，大鼓、长号，大吹大擂，一拥而上……早就按捺不住的意大利听众发烧狂叫：大师万岁！"

我读《瓦格纳造访罗西尼》，原期待它也会来一段"罗西尼渐强"的。适得其反，罗大师却奏起了惆怅的"怀旧曲"！

【余韵】

几年后，米希俄有心撮合他们两人再续旧谈。罗无可无不可。瓦则已无心于此。

促成会面的这位米希俄是比利时人，他是推广玻璃琴（glass hamonica，它并非"玻璃口琴"！）的热心人，他自己也能玩。这种18世纪的时髦乐器，其音袅袅，如鬼哭又似仙音，海顿、莫扎特、格鲁克、富兰克林都对它颇感兴趣。米希俄爱这已过时的乐器，可想而知他的口味也是向着往昔的吧？

在他写的此书中，英译者加的订正累累然有好多处。虽然作者自云他是当场作了笔记，回家又赶紧整理的。无怪乎它虽也列在权威辞书的参考书目中却又说它可能不尽符原话了。

萧这个人既崇瓦，又恋恋于罗，为什么？这是不可不作个解答的。那就还是请其自答："我当然是个激烈的瓦派。但我之比一般瓦派沾光之处在于我听过许多瓦氏尚未出世之前的音乐。而那些比我更狂热的瓦派，例如 A. 爱里斯（按，勿误为《性心理学》著者）除了瓦氏之作便不知有其他了。"

说来真是巧合，萧告诉我们："我头一回听到瓦格纳的作品，是听军乐队奏的《汤豪塞》中《大进行曲》。你当它对我是一种启示吗？一点也不是。我觉得它是对《自由射手》主题的某种蹩脚的剽窃！"

请不要忘了，这也就是罗西尼听过的那首《大进行曲》。

关于《幻想交响曲》的二三事

　　《幻想交响曲》这首曲子，人们已经听了快要有两个世纪了，还有什么可谈的？

　　凭我自己的狭隘经验，凡是真正经得起世纪与千万双耳朵考验的作品，都是人参果，不能像猪八戒那样一口囫囵吞下便知其异味的。不但要细嚼慢咽，而且要多多了解些同它有关的事情，这才会有品之不尽的受用。

　　时下的听官们好像都满足于浏览泛读，而不耐倾听。有些谈家，评说一首曲子，喜欢用中国文人作画、论画那一套，以虚代实，空话多而实感渺然。如此读乐，实在是可惜！

　　这个有关修炼"听功"（《后汉书》作者范晔语）的好话题，在此只好一笔带过，且让我以《幻想交响曲》为例，说几件同它有关的事，看看是否能为同好者读乐助兴。

"服毒"的疑案

先出个"正大综艺"式的题目测验一下：人所共知，此曲本事中有条情节线，是主人公服药自杀而未遂，等等。然而，到底是一开头便进入此一规定情景呢，还是并非如此？

其说不一。这首标题音乐的"标题"竟然有两三种"文本"。

一种"标题"是直到《赴刑》一章："……他便吞服鸦片自杀……梦见他杀死了所爱的女人……"（请看罗曼·罗兰：《柏辽兹》中译本附录二，《幻想交响曲》说明书。这是 1832 年 12 月 9 日作曲家为此作首场演奏会节目单写的说明书。）

在《幻想交响曲》的管弦乐总谱（中国有人民音乐出版社版）中，附了一篇《交响曲说明》，署名者同样是作曲家自己（吴祖强译），此文一开头便是："一个过分敏感并具有丰富想象力的青年音乐家，因为失恋，在绝望中吞服鸦片自杀……"云云。

可见，全曲整个是一场恶梦。

事情真妙，为了此一"标题"文字中的关键情节有出入，笔下从不肯饶人的萧伯纳，曾经写过一篇乐评文字，嘲弄了一个叫巴纳特的英国人，顺带着也说了舒曼一句。

那是因为伦敦的水晶宫演出《幻想交响曲》，放着现成的作曲家提供的说明不用，却另烦这位巴纳特搞了一份，文字不行，且有错误。更不该的是，萧认为："巴先生将关键性的服鸦片自杀这件事推迟到了第四乐章。他重犯了舒曼的错误。

后者在评介此作的文章中说是只有最后两乐章才是服毒后的幻觉。"

舒曼会搞错？令人难信。翻出他那篇长文（人民音乐出版社《舒曼论音乐与音乐家》中收了这篇文字）来对对看，果然如此："第四章……艺术家相信他的爱不会得到回报，于是，他吞服鸦片……"

这事似乎有点蹊跷。也许，巴、舒两位都被萧错怪了？是否柏辽兹自己写的"标题"有两种版本？

考证要让乐史家去做。但如认为反正是荒唐一梦，何必认真，那也辜负了这部动了真情用了实感写成的也比较成功的标题交响曲。

一个诚心诚意愿意设身处地去体验一下曲中意境的听者，就会觉得，前三个乐章到底是一个尚未进入梦魇者的所思所感，还是已经入梦后的梦呓，显然是不好马马虎虎混为一谈的吧？

情杀喜剧的排练

男主角自杀未遂，却在幻梦之中把女主角害了，这是《幻想交响曲》中的重要关节，这也为浪漫荒诞的情节找到了一个自圆其说的借口。设想之奇，在音乐作品中好像尚无前例。

五十多年前，每当我听这套唱片时，觉得最好懂也最迷人的是《赴刑》这一章，总好像自己已成了尾随着被押赴刑场的死囚的人群之一分子。其中，在突然冷场之中忽听得一记击钹，我听得毛骨悚然，认出那是死囚的一声干咳。

每听总禁不住要猜想，作者怎地能将一个走向断头台的人的心境揣摩得恁地逼真，难不成他当真有亲身体验，上过法场而又幸免作刀下之鬼？

考其生平事迹，此公并没有像陀思妥耶夫斯基那种临刑遇赦的经历。但可以推测，在他内心的舞台上，什么样的悲喜剧都是排演过的。岂但如此，就在《幻想交响曲》已经完成初稿并且已在音乐学院初演以后，他还竟想来一场假戏真做哩。

不过他真想谋杀的并不是那个英国女演员斯密孙小姐，而是他的未婚妻钢琴家莫克。且来看看他在《回忆录》中的坦白交代。

当时他已经拿到了罗马大奖，去了罗马。忽然从巴黎来信中响起个晴空霹雳。女钢琴家居然去同另一个男人缔婚了。他痛心疾首，泪流满面，当即横下一条心，要马上赶回巴黎去干掉那两个婆娘、一个男的（前者是莫克与其母亲，后者是取代了他的那个人，有名的钢琴厂老板普雷叶尔），然后自杀。

不久前他抱病修改了交响曲中《舞会》那一乐章，差不多就要完工了。大事当前，顾不上这个了，但他仍然在管弦总谱上匆匆留下了对乐队指挥的嘱托："我没时间完成它了。但如果巴黎音乐协会在我缺席时乐意将该作品付诸演出的话，我请求哈贝耐克将其中那段长笛吹的一段加配上单簧管与圆号的八度低音……"这份手稿后来保存在他友人手中。

把总谱付邮之后，他找出两把手枪，都是双筒的，仔细地装上了子弹。两小瓶毒药，一瓶是鸦片酊，一瓶是番木鳖素，也小心收放在行囊之中。为仇人和自己的下场都准备停当，稍微定了定神，就到大街上去乱走，惶惶然像条丧家之犬。但是对于即将在巴黎演出的那场戏（他称之为"小喜剧"），他已经在心里作了精心排演：

"下午六时到那里，正好是一家人聚在一起喝茶的时刻。"

"叫佣人进去禀报，M 伯爵夫人家的使女急等要传递一封要紧的信件。"

"于是我（早已男扮女装）进了客厅，交出信件。"

"趁着她看信的时候，掏出枪来，打穿脑袋，先干掉第一号冤家。"

"接着是第二号。"

"一把揪住第三号的头发，同时抛掉自己的假发，干掉那个女人，不管她怎样尖声嚎叫。"

"不等这场既有人声也有器乐的音乐会引起左邻右舍的注意，迅即将枪膛中剩下的子弹灌进自己右脑门。万一瞎火卡壳，那就立刻把毒药用上。"

"好一出小喜剧！没机会将它搬上真的剧场舞台，才是件憾事！"

"排练"是在去巴黎的夜行车上进行的。其中的犹疑、动摇、坚定决心……种种心情，《回忆录》中交代得情文并茂，是现成的电影脚本。这出小喜剧的反高潮是他在半路上退了烧。未完成的作品和创作腹稿起了清凉剂的作用。

很有真实感的一个细节：从翡冷翠[1]出发，一路来无心饮食，此刻虚火下降，忽地便感到了肚子饿。他感谢那慈悲的自然法则终于让自己恢复了常态。

他长吁一声，心里说："她们也得救了！"

如果柏辽兹真的演出了这出情杀剧，我们听《幻想交响曲》，肯定会更多些联想，更多些共鸣。其实，虽然没真动手而仅有"排练"，那么，《幻想交响曲》不也是一种提前的"排练"？

没有英国管的第三章

有些"叶公"或"差不多先生"，听起音乐来概念化。比如对配器，不求具体感受，听出几个浮泛的形容词便自以为得趣了。这就太辜负了配器大师柏辽兹的苦心。

谈个例子，看看能否说明这"具体"。

几十年前买唱片，就同今日小股民选购股票一般，煞费思量。当时我何以暂不买别的片子，下狠心先买一套《幻想交响

1　即佛罗伦萨。

曲》，主要的考虑除了要听标题交响曲之外，就是渴想见识一下英国管、竖琴和定音鼓。那前两种在贝多芬的作品中是碰不到的。

英国管的特殊风味，我心领神会而难以言传，不如让管弦乐器的知心人柏辽兹自己来说：

> 它的声音不如双簧管锋利，但比较含蓄、厚重，……它是忧郁的，梦幻和高贵的……假如要描绘温柔的回忆，没有其他乐器能像它那样唤起对旧日的形象和感情的回忆了。（引自他的名著《配器法》中译本，"人音"版。）

上文中最后一句是最关重要的，正好拿来解释《幻想交响曲》中《田野景色》那一章他为什么把角色分配给了英国管。

还是听听作曲家自己的话："英国管同双簧管好像是在田园风的对话里少年回答少女。乐章结尾处，主题片断地再现，但此时只有四架定音鼓用深沉的声音为之伴奏，一切其他乐器保持沉默……不少听众心上产生了空虚、茫然和难忍的孤独感。假如不是由英国管而是由其他乐器演奏的话，上述感觉就远不能这样深入了。"（引自《配器法》）

柏辽兹有两支妙笔，一支用来作曲，一支写文章，双管齐下，都是妙笔生花。但我要提醒，像以上这段描摹，绝不能代替他另一支笔下的音乐，同倾听者自己获得的感受仍然是无法比拟的。如果满足于文词所云而懒于运用耳朵去寻得亲身感受，那不但像嵇康所说，是"闻乐"而非"听乐"，而且是以目代耳了。

重读他上文所云的"假如不是由英国管……"，我不禁要为这位如此执着于艺术的大师难过，我要把他《回忆录》中与此有关的话题引出来，说明他在磊奇坎坷的一生中所遭受的种种苦痛之一，而这种苦痛也许是人们并不以为意的。

可为叹恨的就是"假如"竟成了真的！

那是在魏玛的一场演出，那儿有一支相当不错的乐队。何况他的一群知音（可怪者，异邦的知音远远超过他的故土！）还尽其所能地加强了那乐队中的弦乐，达到了小提二十二，中提、大提、低音大提各七的规模，管乐中也拥有很棒的单簧管，还有强有力的小号。

要命，独缺一把英国管！

万般无耐，只得让单簧管来顶替。

找不到弹竖琴的（在《舞会》一章中它绝不是个可有可无的角色），那就以钢琴代之，虽然这两种乐器是貌似而神殊的。作曲家指挥家而不会弹钢琴的，柏辽兹恐怕是可入"无双谱"的一例。幸好有个年轻的热心人，也是个当之无愧的音乐家，毛遂自荐，将总谱上为两架竖琴写的音乐并在一架钢琴上来奏。

不难想见，作者自己听这场演出，心里头不可能不是甜酸苦辣交响。听着那变了色也变了味的配器效果,对于他极其敏感的听神经想必如同我们听一个木匠锉一把锯子上变钝了的锯齿。

这滋味,不知何故《回忆录》中没谈,有可能是他太感激异邦同行给予的温暖而不想再提了。同行们对于他作品的那种真赏、默契,是在母国享受不到的。一腔感激之情倒是真挚地作了披露。其中一段正可以导引我们于倾听中去印证:

> 《田野景色》一章把听众吸引得屏气凝神而听,一直到最后。遥相酬唱的伊人已渺,被遗弃者的牧笛,定音鼓上的轻雷,都已消歇,原先沉默良久的弦乐、圆号,此时又进场,深情地吐出了一声长叹,万籁归于寂灭。

坐在台下听排练的柏辽兹,这时也听到了邻座听众的叹息声。

美食可腻　人乐偕老

　　看到一篇出人意表也有疑问的迟来的报道。据说 1954 年和 1984 年纽约有两家报刊根据调查结果分别公布了两份"排行榜":十部最令人厌烦的乐曲。除去重复,合计是十七部。

　　这十七曲几乎都是所谓"名曲"。叫我吃了一惊的是其中竟有贝多芬的《第九交响曲》。

　　德沃夏克的《自新大陆交响曲》也榜上有名,这也是我没想到的。这样一部平易近人的交响音乐,居然也被某些人听厌了?!

　　然而我可以自慰的是,别的作品,自惭领会有限,《新大陆》同我却缘分不浅。自从少年时听到而今,粗略一算,少说也听了何止一千几百遍(请注意,这里说的每一遍都是正心诚意聚精会神端坐而倾听的),何曾厌烦过?

　　有几件事大概可以证明我对它并非谬托知己。

　　20 世纪 40 年代之初,刚刚接近严肃音乐,便从借来的旧唱片上认识了它也立刻迷上了。一遍复一遍，听得心醉神痴，不能自己，把那一套五张的宝丽多牌唱片失手打碎了一张。只好去买一套新的来归还物主。残缺的一套便留下自己听，不过瘾，咬咬牙又去买了一套，斯托科夫斯基指挥"费城"演奏的胜利唱片（套在唱片册里，封面上印着个戴着头饰的印第安人）。

听了几年，为别一种无以名之的"交响曲"所迷，丢下一堆书、一小叠唱片，从沦陷区去了根据地。要问我在那几年行军路上时常最想念的唱片是什么，那就是《新大陆》了。

1949 年南下路过姑苏城，百忙中一得闲便四处打听借唱片，头一个想听的也是《新大陆》，总算补上了几年中的相思。临行还借了本它的袖珍总谱，打进背包，不远千里带到了新解放的厦门岛，有时间便啃，向谱中去发掘原先听不出也听不清的细节。

"动乱"之前曾有过大、洋、古音乐迷短命的"盛世"。外文书店里堆满了来自苏联、东欧的 LP [1]。捷克版的《新大陆》把我喜得神魂颠倒，那可是德沃夏克故乡人的演奏，是更可信赖的阐释。更何况，一张 LP 就装下了整部交响曲。一气呵成地听下去，这同被腰斩得寸断为五张十面的老片子一比，天上地下，我算是重新认得了这部作品，旧雨化为新知！

1　Long play，又称"黑胶唱片"，是立体声黑色赛璐珞质地的密纹唱片。

我没多盘算便一下子买了三张。每张九块钱，在当时够得上是高消费了！

要三张何用？一张供朝暮欣赏。LP虽耐用，日久也要磨损，有两片备换就不怕了。

"盛世"之后是大难，人与乐一同遭殃。我把百来张LP送进废品站时，店门口居然还有不知死活的爱乐者见了垂涎想买。我倒情愿奉送知音人，又怕害了他。

但是《新大陆》并不在内，因为实在难舍难分！横下一条心，塞进衣箱深处，跟我一道充军发配到了几千里外的农村。谁要是不大相信我当时真那么胆大和傻气，今天可以搬出它们来作证，还在我书架上。只可惜无法再唱，三速电唱机早扔掉了。虽已无声，但是充满了记忆。

老片子哑了，我同《新大陆》缘分依旧，先是在立体声录放机上，然后在CD机上，许许多多不同的版本让我既温故而又知新。从单声道进入立体声，这又是一片新大陆。但总不如原先那张捷克片子（Vaclav Talich指挥，捷克爱乐交响乐团演奏，塔利赫·瓦茨拉夫是尼基什的高足）听起来惬意。老早的那套斯托科夫斯基与"费城"合作的老片子我也一直想念，想念他那有一处自出心裁的发挥，虽然与总谱不符，"虽善无征"。

归总一句，我同《新大陆》神交半个世纪，魅力如故，而且时有新感悟。怎么它也上了"最令人讨厌"的排行榜，而且是在纽约，在它的孕育诞生之地？！

今之好乐者好像只知听《新大陆》和他的《第八交响曲》，不去赏他的《第六交响曲》；只听他的《狂欢节》，而不去将它同原是一套的《大自然、生活与爱情》《奥赛罗》合而赏之，还有……

我也不是只爱听他的大作品，全世界人都喜爱的《幽默曲》，我到底仔细咀嚼（在唱片上、提琴上、钢琴上）过多少遍，简直无从计算。仅仅为了这一曲小品，我也要拥抱他这位屠夫的儿子。萧乾在伦敦时英国老房东请他听音乐，《幽默曲》是从"轻音乐"那一堆里拿出来的，实在是太贬低了它，那是罪过！

经不起多听的"名曲"的确有，不过这在起劲推销唱片的资料、广告中避而不谈就是了。

门德尔松的《e小调小提琴协奏曲》是个令人惋惜的好例子。说惋惜，是因为它只差一点就可以归在听不厌的作品那一类里头。

40年代看过一部电影，是音乐片，海菲兹粉墨登场，在片中拉了这首协奏曲的最后一章。一听之下喜得心痒难搔，人间竟有如此光华灿烂的音乐，灿烂得赛如焰火！

也是那次在苏州，幸遇刘雪庵先生，他慨然借给我好几本总谱。我急急忙忙赶抄了一些自己最渴求一读的。门氏这首只来得及抄下海菲兹拉过的那一章。有些协奏曲，末章叫人心耳皆疲，他这章却是全曲中最精彩动人的。

"文革"中挨打下寒窑改造时，忙里偷闲，苦中作乐，关上门拿出破提琴来锯。在我胡拉蛮练的曲目中竟有这篇大曲！看着拉的正是二十年前抄的那谱子。论水平我哪配它，实情是因为苦忆此曲而那张小奥伊斯特拉赫拉的片子已进了废品站，因此才来自拉自赏。没想到几个月功夫居然把那一大堆音符都结结巴巴锯了下来！

一日午后歇工，我又心痒手痒，在草屋里锯得一身的臭汗，忽然有人擂门咆哮，要我别再弄那玩意。原来是吵醒了隔壁酣睡的一位窑工。

我惶恐无地，但也庆幸他并非知音者，不然的话，单是那音准之糟也会叫人牙齿发酸，浑身起鸡皮疙瘩的。

奇怪不奇怪，二度"解放"重新做人之后，我又可以饱听此曲了，然而它失宠了。有时是心里一动，想追寻那初识其面时的狂喜，有时候只不过不忍让它太受冷落，才翻出磁带来放一遍。听着听着便心猿意马起来，觉得无可奈何花落去了！

每当此际，就会想起有本《小提琴史话》著者的话，既坦率也说得隽："能再世为人，重新来享受一番初闻此作时的新鲜感是多么幸福！"

惆怅的是我这辈子再也找不回那新鲜感了！

永不失其新鲜的并不是没有，《仲夏夜之梦序曲》之美是不消说得的了，可怪者至今还有许多人把《意大利交响曲》当经典，却放着《芬格尔山洞序曲》这样的好音乐不听。

此曲始终是我的宠物。每当读乐之瘾上来，从几百张片子中挑来拣去，筛选到最后，再拿出来赏它一遍的常常还是它，其实也已听过无数遍了。然而每一倾听，总是迅即进入角色，被乐中的风涛带回到几十年前头一回听到它时的心境中，也再一次忆起丰子恺"导游"文中赞门氏为"出色的山水画家"那句妙语。妙在借用了中国味的"山水画"这词儿来形容一幅西洋的音画。这便激发了错综复杂的联想与通感。

听《芬格尔山洞》之前我还对海一无所知，音乐让我心造了海景。后来在东海上经受了风涛颠簸，呼吸了山岚海气，我常将实景与心造的幻象比较对照，感到是一种特殊的享受。

卢那恰尔斯基是听音乐的内行。他说是听熟了之后音乐如同活水在渠中畅流。我饱听了几十年的《芬格尔》也便体验到在大脑沟中乐水自在畅流的愉悦。更有意思的是，这不仅是音乐意象之流，而且又是音乐逻辑之流。

门氏此作既有浪漫的诗情画意（别忘记他是个能诗善画的才子），又将音乐安放在明快洗练的古典形式中。初听此曲，吸引你的是标题中的意境；听得熟了，才又从那音乐形式音乐逻辑中感受到动力与意匠经营之美妙。此二者他控制得恰到好处，形象思维与逻辑思维相得益彰了。拿它当西洋山水画来卧游，固然赏心悦耳；不管那标题，作为纯乐来玩味，也是很妙的，当你能将二者综合起来听时，也许才真能领略乐中三昧。

我哪敢说自己已有所得，无非有若干美妙的瞬间恍惚尝到些许
甜头罢了，但这也便诱使我锲而不舍、听而不倦地听下去，听
了那么多年。

许多好音乐被好心或恶意地滥用、狎侮、污染、糟蹋着。
自从几年前听到莫扎特《弦乐小夜曲》配在可憎的广告节目里
之后，再听那原作，往往想起那画面，就像喝了误放于肥皂边
的好茶叶泡出的茶了。

假如那作品自身过得硬，只要你对它玩而不亵，加上听功
的不断长进，它是不会陈不会馊的，好音乐长命，常听常新。

听乐者老了，知心之作与人俱老（孙过庭《书谱》有
"人书俱老"语，借用一下）。

爱乐人与所钟爱之乐可以偕老！

旧曲新话：巴赫名作《恰空》

作为一名 20 世纪 40 年代入籍的老乐迷，应当自惭的是 20 世纪的新作听得太少，我常听而且听之不厌的是那些 18、19 世纪的作品。当此新旧世纪交替之际，我也到了垂暮之年，即使想补课只怕已来不及了。好在那些名垂乐史的经典名作，至今仍然经得起时间与听众的考验。这只要看看世界各地音乐会的节目单，唱片行的唱片目录便可证明。于是我一方面期待着莫扎特、贝多芬那样的新的音乐巨人出现，一方面重温前代经典，从中寻得新的感受。偶有所获，谈出来同爱乐朋友交流。本篇谈谈老巴赫的无伴奏小提琴曲《恰空》(*Chaconne*)。

今天听这首将近三百年前写出的作品，会有丰富的联想，深深的感慨。肯定会永世不朽的此作，并非一出世便得到行家与爱好者的注意的。

巴赫于 18 世纪 20 年代写了六首无伴奏小提琴奏鸣曲与帕蒂塔（或称组曲），其中 d 小调的那首，最后的乐章便是本文要谈的《恰空》。六首作品写出之后，他的第二个妻子安娜抄了一份副本。抄本上在曲题下留下抄写人的一行说明，那是用拉丁文、意大利文与法文连缀而成的文字。这个抄本直到19世纪初年辗转落到了一位收藏家手中。据此人所记：1814年得之于圣彼得堡一家卖牛油的铺子中，放在一堆旧纸里，有被用来包食品的可能，云云。手稿上留有巴赫手迹。

险哉！如非幸被抢救，我们还能听到这一套稀世名作吗？收藏者认为是巴赫手迹的，其实是误认。抄本所据的原稿已找不到了。因此我们在庆幸自己的耳福时绝不可以忘了安娜夫人的功德。须知，她要操持繁重的家务，除了抚育亲生子女——十三个！巴赫第一位夫人留下的四个孩子，她也得照顾。同时，她还要跟丈夫学习音乐。今天全世界琴童必弹的一部钢琴小曲集，正是她丈夫兼老师写了给她练的。

包含《恰空》在内的这一套无伴奏小提琴曲虽说在19世纪进入了小提琴家的表演曲目，但是并没有受到应有的器重。现今都是成套演出的这部杰作，往昔却是拆开来"零售"的，每次只拉其中的一两个乐章。《恰空》便是常被选中的一曲。1932年之前，唱片也没有录全套的。

小提琴本来是旋律性的乐器。如要独奏总需键盘乐器配合，才好构成完整的和声对位。巴赫自出心裁，偏要让它无伴奏地"一家独鸣"，但又并非只奏单调的旋律。小提琴的特长是可在两根弦上同时奏响"双音"（古时琴马弧度较小，琴弓的结构也同近代不一样，甚至可同时拉出三音或四音）。他巧妙地利用了这些特殊性能，使小提琴自己为自己伴奏，像个"自拉自唱"的歌手。不仅创造了和声效果，更奇妙的是他运用各种手法，编织声部，叫单声部的提琴奏出了多声复调音乐。只有你自己学过一点小提琴，才会对其中的高难度有所感受。同样，听他这套作品，如果不高度集中注意力，反复倾听，那么你就领略不了他苦心创造的那种复调艺术之神奇。

听上去常常不像是独奏，像是两三把琴的重奏，但这"重奏"的效果又有异于真的重奏，因为音乐的流动显得更为紧凑，更为浑然一体。

在《恰空》一曲中，巴赫从一个初听上去并不特别动人的主题出发，将其变奏了三十次，层出不穷、愈出愈奇，那乐思在不断发育生长的过程中放射出一种令人难以抗拒的磁力，听者跟随着巨匠的步伐，不知不觉终于发现自己进入了一座宏大的音响建筑，恍然领悟："音乐乃流动的建筑"那句审美警语，并非虚言！

把这一组曲子处理成无伴奏，作者的构思显然是要让演奏者及其乐器摆脱对伴奏的依傍，更加自由自在地大显一番身手。成为真正的"独奏"，这是绝妙的创意。虽无伴奏，而已实现了艺术上的完满，无论是增之一分还是减之一分，都不免有伤其美。

堪称乐史珍闻的是，这一套作品好容易从几乎湮没的情况下被发掘出来公开出版时，便有好心人干下了画蛇添足的蠢事，给它加上了钢琴伴奏，"无伴奏"变成了"有伴奏的无伴奏"作品，自相矛盾，多此一举！

1847 年，门德尔松为《恰空》配了伴奏。1854 年，舒曼为一家历史悠久的乐谱出版商编订这套乐曲，也干了这种事。这两位大师对于促进巴赫音乐的复兴有极大热忱，功劳极大。他们这样"多事"，大概是担心人们听不惯无伴奏的小提琴演奏，还是担心无经验的演奏者怯于一试？

往昔的小提琴演奏家西盖蒂年少时就曾拉过此种有伴奏的《恰空》，成名以后，回想其事，还深感惭愧，忏悔自己不该糟蹋了巴赫的音乐。

有关《恰空》改编曲的事情也值得一谈。可能有几种动机诱使作曲家们在惊赏之余动手改编此作，将其移植到别种乐器上。其中包括钢琴、吉他和手风琴。

《恰空》如此之美，让那些不会拉提琴的人也在他们所掌握的乐器上来咀嚼其滋味吧（须知，仅仅靠听赏是不够的，演奏者，即使是技术稚嫩的业余自弄者，才能有"亲知"）。这是一种动机。

有学者认为，巴赫音乐的伟大，表现在它是不受其原作所用乐器限制的，移植之后，其基本素质绝不会丧失，也就是说，巴赫的作品是经得起改编的。有趣的是，他本人便是最喜欢也极善于改编别人之作的（突出的例子是对维瓦尔第作品的改编），而且他也喜欢改编自己的作品。

　　钢琴这"全能乐器"是最方便移植其他器乐曲的土壤。虽然钢琴和小提琴说的是很不相似的语言和腔调，但改编者并不想勉强钢琴去模拟提琴的吟唱，只是用钢琴语言来移译巴赫的乐意，运用钢琴的特性发挥其深广的内涵。《恰空》改编曲中最为大众熟悉的便是钢琴左手独奏的乐曲，舒曼、勃拉姆斯等都写了这种作品，公认为最有价值的一首则是钢琴演奏圣手布索尼之作。

　　改编者何以都不约而同采取左手独弹的做法，除了原作结构上的原因之外，我有一个大胆的猜测不知道有没有一点道理。前文讲过，《恰空》原作是名副其实的"独奏"。这个"独"，一方面赋予演奏者以更大的自由（相对于合奏而言），但另一方面也增加了难度，需要更为艰深的技巧。演奏者所获得的自由与受到的压力都会在欣赏者心上唤起共振共鸣。《恰空》也由此而愈增其魅力与奇趣。

　　改编的《恰空》钢琴曲，只交给独手而且是一般来说比较弱的左手（对于弹琴而言更是如此），也突出了那个"独"，这可以说是对原作"无伴奏"的巧妙的模拟与暗示。

　　《恰空》还有改编的管弦乐曲，也不止一首。有一首的作者是19世纪乐坛上小有名声的瑞士乐人拉夫（J. J. Raff）[1]，此

1　拉夫为德国人，此处应是作者记忆有误。

公写的提琴小品《卡瓦谛那》[1]，一首自作多情的沙龙小曲，老乐迷也许还不会淡忘。

室内乐作品改作管弦乐，有的并不成功，例如魏因加特纳改编贝多芬的弦乐四重奏，便曾遭到讥评。《恰空》虽然大气磅礴，"简直超越了小小提琴的限制"，"是主观力量战胜了客观物质"（评家的惊叹），但是利用庞大的管弦乐将其扩张过度，"过犹不及"，也许走向反面。

管弦乐改编的《恰空》，本人孤陋，未曾见识过，以上云云，妄测而已。

我自己对名作的改编曲极感兴趣，总觉得听了改编曲之后，由于对照、比较，对于精读而深味原作的妙处极有好处。说也惭愧，正是在偶然听了佩普·罗梅罗[2]弹的《恰空》吉他改编曲极为陶醉之后，我才省悟到一些倾听原作要注重的问题，我谨向朋友们推荐他的演奏录音。

---

1 *Cavatine*，现在通常译为《卡伐蒂娜》。
2 Pepe Romero，现在通常译为佩佩·罗梅罗。

返听德彪西

当此新的世纪刚开头之际，返听 20 世纪前夜问世的名作，再臆想一番，今后这个世界上的音乐究竟往何处去的问题，很有意思。

20 世纪的前夜是 19 世纪的"世纪末"。那在文化艺术史上是重要的一页。因为，即以音乐而论，20 世纪新潮高涨，五花八门，千奇百怪，从那时便已经露出苗头了。

并无资格高谈乐史，只有一点老乐迷的个人体验不妨一说。朋友们在倾听德沃夏克的《自新大陆交响曲》和德彪西的《牧神午后前奏曲》这两曲的时候，可能没有注意到，虽然手法与风格截然不同，这两部经典之作却都是在 1894 年里同听众见面的。

试再仔细端详，《自新大陆交响曲》是恪守着德奥乐派的家法，风格上是浪漫派与波希米亚民族色彩的结合，基本上是老派的音乐，然而《牧神午后前奏曲》则无论从结构、章法、和声、配器等方面都远离了老传统。无怪乎此曲一奏，乐坛轰然称奇了，当然也立即招来了正统乐人与听众的非难嘲骂。

1894 年是什么年头？正是古老中国落后挨打的"甲午战争"之年，离开现在似乎遥远得很了！奇妙不可思议的是，这两部已成经典的作品，今日的许多爱乐者照样爱听，并不会觉得是古董。

本人同它们的初次接触是在 20 世纪的 40 年代。当年的欣赏能力是"初小"程度。《自新大陆》既好懂又好听，把我迷得满脑子成天响着它的美妙的旋律。至于《牧神》，我当然不能深知个中之趣，但使我非常惊喜的是，在贝多芬、舒伯特、门德尔松、德沃夏克等的音乐以外竟还有这种面目不同、风味不同的音乐！在对照与比较之下，想象中的音乐宇宙陡然扩张，对自己所未知的天地产生了极大的向往。以此为机缘，从此便开始了对德彪西作品的追求。

也真是巧合，20 世纪 50 年代初，我再一次和德沃夏克与德彪西同时碰了头，又获得一次从对照比较中咀嚼品尝不同流派音乐的好机会。其时我发现，德彪西的《g 小调弦乐四重奏》上海有旧片子可淘，立即把它函购到手。此曲我渴慕多年了！放到唱机上一听，大出意料之外，简直像当头挨了一记闷棍！我本以为它既是发表于《牧神》之前一年，即 1893 年，应该比《牧神》要好懂一些，但是却正相反，《牧神》的乐境我觉得不难进入，《弦乐四重奏》则晦涩古怪得拒人于千里之外。虽然诚心诚意反复倾听，对我依然是一部天书。

由于音乐品格与创作意向有所不同。原意只为少数知音知己而作而演奏的室内乐作品，比起为了与大庭广众共赏而作的管弦音乐来，欣赏起来常常有更大的难度。然而就在同一时期，我又听到了德沃夏克的《F 大调四重奏》（又有"美国"或"黑人"的绰号），此曲和德彪西的《g 小调四重奏》又都是 1893 年的同龄儿。我先前在收音机中只是惊鸿一瞥般听过一次便心醉了，此时买到了从捷克进口的粗纹唱片，一遍复一遍地听，越听越要听，把片子都听坏了！（后来我又托友人从东德买来了一张密纹片。）

又过了好多年，我读钢琴家阿图尔·鲁宾斯坦自传，书中谈到和小提琴家伊萨依的交往，有这么一段很有趣："有一次，几个朋友拉了德彪西的《g 小调四重奏》，那就是作者题献给他的。听了之后他很欣赏他们的演奏……但是使大家感到不解的是伊萨依告诉我们，他听不懂这种音乐，因为对他来说，太摩登了。"

伊萨依说这话时第一次世界大战正打得激烈，这首作品已经问世十多年了。既然连这样一位大演奏家又兼作曲、指挥家的乐坛名宿都觉得它太摩登，20 世纪 50 年代的我，幼稚无知，读不懂"天书"，又何足怪，大可不必脸红了。但是这其中反映出前两个世纪音乐文化变迁之迅猛，新旧乐潮共处相争，是乐史上前所罕见的。

　　听不懂《g小调》，我倒并未气馁，只是努力提高自己的"听功"，几十年来把德彪西的重要作品几乎都搜求来反复听过，尽管仍有许多作品食而不知其味，或费解，或听了不喜欢，但我可以为自己庆幸的是，听懂了的也还不少。垂暮之年，只要有听乐的时间和兴会，德彪西的作品常常是最想听的。而且像《牧神午后前奏曲》《大海》这样的重大作品，每一重温，总是会听出一些以往轻轻放过的地方，新的感受层出不穷。

　　暮年听德彪西，有一曲特别令我刻骨铭心，这就是他的《长笛、中提琴、竖琴三重奏鸣曲》。几十年前根本听不到这个作品。如今几乎所有名作都灌了唱片，物不稀也便不为贵，似乎它也不被大家注意了，这是极令人可惜的。爱听德彪西而疏忽了这一作品，我想是不能深知其晚期乐境之纯与深的。它是诞生于第一次世界大战的杀伐喧嚣中的一曲纯乐。

　　虽然第一乐章以《田园》为题，这一首奏鸣曲却浸透了悲凉的情绪，这是不难解释的。法兰西民族遭了大灾难，自己又生了癌症，从肉体和精神上折磨着这个身心交瘁的艺术家，他怎能欢乐！何况不甘守旧敢于求新的他，前半生在学院派笑骂声中走他自己的路，后来虽享盛名，又在险恶的人海中饱受了风波之苦。在一篇乐评中，他激赏一位咖啡馆里卖艺的提琴手，说是此人举弓一试，便把听众带到了森林里，奏到动情处，听者会身不由己地掏出肺腑深处的隐痛，尽情一恸，云云。这些奇警之语也正道出他的心灵是何等的敏感深情，而这一番话也恰似在为这篇悲凉之音作了注脚。

此曲我听到的录音不止一种。有一套 EMI 出品异常精彩动人。三件乐器的通力合作简直可认为无毫发遗憾。其中的中提，由梅纽因担任。有几处是中提领唱，那声情之美，立刻叫我想起了上文说的那位咖啡馆艺人。梅纽因的弓子在弦上的悲吟，"真像是就在听者的神经上擦过一样"（此乃福楼拜《包法利夫人》中名句）！

人们往往只欣赏管弦乐的配器，却忽视了室内乐的配器。德彪西此曲配器之妙也可令人心醉。首先，把这三件乐器来撮合在一起，为特定的乐想服务，这就不简单。由于长笛、竖琴都是乐器中的殊色，中提的音质特别富于个性，三件乐器的色香味绝异而又颇难调和，要在重奏中处理得宜，显然是个难题，此种搭配，似乎找不出前例。

更可叹赏者，虽然选了这"三美"，作者却并不用来炫色。他只是让它们以自己的语言来说话而已。长笛和竖琴在曲中都以素朴的语言含而不露、哀而不伤地抒发着悲凉之情，绝不卖弄姿色，你倒会忘了它们本是华美的乐器了。

中提木性偏于忧伤，更是发挥着它苍老的本色，时而曼声咏叹，时而用拨奏来同竖琴形成微妙的音色对比。大家知道，拉弦乐器上的拨奏这一手法古已有之，到了现代更有极大发展。德彪西 1893 年发表的那首《g 小调弦乐四重奏》中已经大用特用了。这种拨奏，不是故弄新奇，它不同于弹拨乐器，别有意趣，不可代替，值得仔细玩味。

　　整个听来，三件乐器的织体巧妙而自然，浑然一体，斑斓如古锦。反复倾听，你会有多方面的感受。它虽然宣泄了作曲者的满腹愁肠，却又绝不像浪漫派末流的滥无节制。既不失他固有的清新，又比他中年之作多了几分典雅纯静。令人于深切的感动中不禁要从心底默然赞叹："大师乎！大师乎！"

　　百年已逝，德彪西的创作已在时间法庭和广大爱乐者中接受了考验。原籍匈牙利的美国音乐学者保罗·亨利·朗于1941年写了一部《西方文明中的音乐》。书中对德彪西作了令人信服的评述。但这部写三千年来西方音乐史的名著，写到德彪西也便戛然而止了，对尔后的种种新派音乐不置一词。

　　个人听乐六十载，也只是从莫扎特听到德彪西，这自然是浅陋不足道。但于短促惶遽的人生中能够做到这样，自己觉得还是值得引以为莫大的幸事。

译本与原作共享

——谈谈德彪西作品改编曲

我对名作的改编曲一向怀着浓厚的兴趣。六十几年以来，我注意搜罗、倾听名作的改编曲，获得极大享受。我愿奉告爱乐者，假如只知听原作，而忽视乃至鄙视改编曲，那就会错过了许多扩展你音乐欣赏空间的机会，那是很可惜的！

这是个谈之不尽的话题。本文只谈有关德彪西作品的改编曲。为此又先要提到肖邦作品的改编曲，但却是失败的，不大值得欣赏的改编曲。

有一部肖邦作品的改编曲《仙女们》(*Les Sylphides*)，本来是作为芭蕾舞配乐改编的管弦乐曲，后来也可单独演奏欣赏。我深信，只要是真心喜欢肖邦钢琴音乐的爱好者，听了这部改编曲都会觉得没意思，甚至不能卒听。这种改编曲的用处恐怕除了伴奏舞剧以外，只能用来证明肖邦的钢琴作品几乎是不可改编的，真可谓一改便俗。（我想起小提琴家埃尔曼改编并演奏的肖邦的《降 E 大调夜曲》，可能是一个例外。）

肖邦原作之所以不宜改编，是因为钢琴这件乐器的特性。更因为肖邦的音乐思维彻头彻尾地钢琴化了。照此说来，同样是钢琴代言人的德彪西，也应该是拒绝改编的了？

谁知并不尽然。他的若干钢琴曲，不但有改编曲，且有不止一种"版本"；不但有并非不值一顾之作，而且有别出心裁别开生面之作。这说明音乐艺术的空间远比我们所知的来得广大，来得多样，不可思议。这又叫我想到了伯恩斯坦的一部乐评集，它的题目是《乐无限》。

《亚麻色头发的少女》有不止一种改编曲。最常听到的一种是小提琴曲，且有大同小异的若干版本。有一种当年还得到原作者的首肯。但我对照钢琴原作听，总觉小提琴虽然强化了主题的旋律性——从而也便更有可听性，然而并不能忠实地传达原作的神韵。不妨将原作当作一帧用笔与傅彩都轻灵而淡雅的铅笔水彩肖像来看，改为小提琴，便像幅油画了。原作那朦胧的效果淡淡的怅惘也就变了味。

《月光》这首德彪西的钢琴曲，不像他后来的作品那么费解，但其钢琴语言与格调又是那么不落前人窠臼，洗练而高华，达到了一种完美的高度。它是完全钢琴化了的作品，按说是不易改编也不宜改编的了。流行的几种小提琴改编曲，似乎也证明了这一点。

据我的感受，《月光》改成小提琴曲，就好像变成了"月夜情歌"。其实这首弹起来不过四分钟多一点的小曲，它的境界阔大而意象丰富，其中诗情画意，令人联想多端，吟味不尽。它那内涵像是要从其素朴的钢琴织体中溢出似的。也许正因为如此，它是可以改写成管弦乐的。但这又必须有一位高手来做才行。朋友们大概都听过曼托凡尼改编的《月光》，那比起小提琴独奏来味道要略胜一筹。终究因为那是一种轻音乐气味的处理，仍然不耐久玩。《月光》的气质经不起一点轻浮。

我有幸听到过一位改编圣手改编的《月光》。虽然是一张单声道录音老唱片，至今仍可以从记忆之中唤醒当年感受的某些点滴，渴想重温而不可得。市场上可以购得的斯托科夫斯基老翻新大全一大叠片子，此曲未收。《月光》的卓越改编就是这位指挥家的大手笔。

犹记得当年初听此片，有一种既新鲜但又毫不陌生的惊喜，只觉管弦乐的语言完全契合原作的钢琴语言。配器妥帖自然。木管将月色渲染得更显皎洁，弦乐浓淡适宜地增强了原作和声的厚度，夜气也便更觉深沉了。

老实说，改编一事，有时可以不动脑子只是依样画葫芦地操作。不少音乐家曾经出于无奈替乐谱商干过这种活。创造性的改编其实难于自己原创。像斯氏改编的如此难得的佳作，说它可与原作并存而无愧色，恐怕并不虚夸。

《月光》还有一种改编曲，由三把吉他重奏。有一位评家很是称赏。我也注意访求那录音。后来听到了，并不见得怎样出色，倒害我白白悬念了几年。

听乐六十多年，我对改编曲的兴趣始终不衰。自习英语，名著文字艰深。好的译本可以导读。改编曲颇似译本，对于倾听名曲原作，也能起导读作用。然而此种作用又大不同看所谓"名曲解说"之类。我有一个奇妙的例子，说奇妙我是毫不夸张的，愿贡献于同好诸公：德彪西有一首小小的钢琴杰作，我曾长时间食而不知其味。后来偶然听到了此作的改编曲，触动了联想的意识流，综合起自己原来半明若昧的感受，豁然顿悟，曲中境界全显！有意思的是，起点化作用的是电子合成器音乐，原先我并不大喜这乐器。

原作《阿拉伯斯克第一号》是作曲家早年之作。如今一般的德彪西选曲唱片中都有这个三分半钟长的小不点儿。足见人们对它的感兴趣。钢琴老师也把它布置给中级水平的琴童练。但是据我看来老师和学生都不把它当回事，显然是当作练习曲来使用。这也说得过去，因为曲中有许多的三连音。顾题思义，阿拉伯斯克原指仿阿拉伯装饰美术风格的线条、图案。德彪西此作，从谱面上看，也看得出三连音音型串成旋律曲线升沉起伏，很好看。可是线条变为音流，加上错综复杂的织体。它又显得曲中有情、有事，像个无题的叙事曲。不过我多次倾听，还是形不成比较清楚的意象。如看抽象画，似读朦胧诗，令人闷闷。

富田勋（Isao Tomita）改编的电子合成器音乐，我是从收音机中萍水相逢，一听之下便有触动，到处访求那录音，过了好几年才弄到他题为《雪花飞舞》的选集，所收十一曲全是德彪西改编曲，都有新意，而以《阿拉伯斯克》为顶尖。

富田勋用电子合成器语言"译述"的《阿拉伯斯克一号》，证实了我自己的猜想。它并非什么只能悦耳的图案画，它是有人有事的情节画。你也可以拿它当一篇结构紧凑戏剧性强烈的悲情小说来读。我每听一遍，就像读一篇莫泊桑或欧·亨利的作品。

此曲中那支五声音阶的主题最叫人感动，有一种悲剧性的力量，它每一次再现，便使情绪更浓，情节更向高潮推进。德彪西真是个在小件制作上也像狮子搏兔全力以赴的巨匠！改编者富田勋对这个主题的处理，我以为也是了不起的。他用口哨声来为它配器。口哨声在合成器语汇中也许常被滥用吧，但用之于此处，却是恰到好处，悲剧主人公的意象一下子便凸现无遗！而且富田勋又于此口哨声中强调了滑音效果，这样一来，更加浓了人间气味与气氛的悲凉。

言之有物的音乐，总是会激发倾听者的自由联想，自由联想从潜意识中不请自来，同那音乐交相印证。听富田勋的口哨声，我立刻接受，联想到人生中处于逆境者往往会于万分无奈中，也吹吹口哨聊以自慰，正像深夜独行客的唱歌以壮胆，或如古诗"长歌当哭"。

更为奇妙的，我还不期而然地想到了鲁迅的小说《伤逝》，心中显现出涓生同爱人分手后孑然独居，处于无可告语的绝境。这悲凉的口哨声正是从他口中发出的！

是的，鲁迅在《伤逝》中并没有让涓生吹哨。但是，假如有人改编他这篇小说为戏剧，添上这一细节，我估计他也未必会反对。人们也许有所不知，鲁迅自己会吹口哨，而且有一次碰到一件无端而起的烦恼事，他还以吹口哨来排遣胸中闷气哩。（请看他的《记杨树达君的袭来》一文。）

德彪西这首曲子，肯定可以当成标题性的音乐来欣赏。可惜作者隐去真相，不肯用文字吐露真情，让人更好地去领略它。富田勋可儿，为其代写了一篇"标题文字"，别开生面的是，这不是以文释乐，而是以乐释乐。

话虽如此，我既不主张别人全盘接受他对原作的译解，也更不想把自己对原作与改编作的感受强加于人。音乐欣赏是一种拥有高度自由的精神享受，本文之作无非向朋友们报导一下自己对《阿拉伯斯克第一号》这首微型杰作（原作与改编）中美妙风光的探测，并宣传改编曲不可小看而已。

诗情·画意·史感

——倾听"三罗马"杂感

对于像我这样的守旧派乐迷来说，当今世界上似乎已经不再有什么新的名作问世了。这当然要怨自己的孤陋寡闻。

返观 20 世纪，虽然老派古典音乐已面对新派的挑战，却还不是如此冷冷清清。1918 年 10 月，《罗马的喷泉》在托斯卡尼尼指挥下首演。1926 年 1 月和 1928 年，《罗马的松树》和《罗马的节日》又相继发表，如此便构成了意大利作曲家雷斯皮基的"三罗马"，从此也成了音乐会演奏曲目中的经典。

"经典"也难免在势利的文化市场上被不识货的顾客视而不见。我要为我所钟爱的作品当一个义务导游者，为它招徕一些识货的新游客。

说来可怜，对"三罗马"我是早慕其名而又相识恨晚。直到 20 世纪的 50 年代，也就是本人的乐迷生命已过了十多年后，才听到了它。更可怜亦复可笑的是，那是在一张从废品堆中挖出的每分钟七十八转老唱片上，我同它首次相逢。此片被其旧主人反复放唱，让无情的唱针把它磨削得不成样子。一放起来，噪声大作。听时如同冒着满天的风沙欣赏风景。可奇的是，我不但窥见了奇美的景色，而且立刻给它迷上了，结上了"半生缘"！

到了20世纪80年代，有立体声磁带与唱片可尽情享受，更加得其所哉。岂但再无风尘障目，而且那"美景"三维化了。何况，在深入其境之后，那感受之微妙又不是三维所能局限的了。

这是一部正宗而又不落陈套的标题音乐。标题乐到了20世纪，已经人老珠黄，难有轰动效应了。陈词滥调让听众吃倒了胃口。雷斯皮基偏偏以此种体裁赢得了听众的共赏，且有持久不衰的吸引力，岂偶然哉！我想，那是因为它的言之有物，构想新奇，而其圆熟的艺术手腕也保证了出色的音乐效果。

作为好事多嘴的"导游人"，我特别要提请各位来此一游者留心感受体验：它不仅曲中有景，而且景里含诗，诗情画意，交融而洋溢；更不可忽略的是，这一幅长卷式的风景画，其景深处还有宏大幽深的史境。雷斯皮基这个古罗马的遗民，是以满腔惆怅之情在高咏怀古的诗篇！

乐生于情，这是无可怀疑的。冷冰冰地刻画景物，再工细逼真也不足以动人。那位比雷氏早十五年出生的音乐才子理查德·施特劳斯，他写标题乐的本事可称一世之雄了。试听他那

部题为《阿尔卑斯山》的所谓"交响曲"吧，算得上笔墨工
细，形象逼真了。可惜有景无情，了无余韵，更无王国维说的
"境界"。作为纪录广告片配乐，改题"阿尔卑斯山一日游"，
倒还有趣。《阿尔卑斯山交响曲》我也是早先渴望见识一下而
不可得，晚年才买到唱片。听过几遍，束之高阁了。《罗马的
喷泉》《罗马的松树》至今是我常读不厌之曲。

　　《罗马的喷泉》将场景安排在黎明、上午、正午、黄昏四
个时刻，让景物呈现于不同的光照和氛围中，这一设计叫人联
想到法国印象派画人莫奈的"稻草堆连作"。不同的是，莫奈
是死盯着无情的一堆死物，攫住那瞬间所见的光与色，而雷斯
皮基则是用明暗不同、色调浓淡不一的"灯光"打在"舞台
面"上，诱导我们迁想移情，把眼前景和历史感打成一片。假
如听前三乐章，你会自然而然联想古罗马的草创与兴盛；那么
最后一章《梅地奇别墅的喷泉》，便好像是翻到了一部罗马兴
亡史的最后一页。

　　据我看，"三罗马"中，《罗马的喷泉》为最，《罗马的喷
泉》中四景，又以结尾一景最为可赏。我听《罗马的喷泉》，
流连忘返的就是这夕阳无限好只是近黄昏的一景，总是恨其太
短，忍不住要"encore"[1]它一下，再游一遍。

　　德彪西说过："没有比落日更富于音乐性的了！"很可惜，

_____

1　音译为"安可尔"。

他并没有把心目中的落日美景化为一曲音乐!

雷斯皮基写的这一章,织体并不复杂,配器也不追求绚烂,然而于平淡自然中蕴含着丰富微妙的韵味,真是品之不尽,"欲说还休"——因为找不到词儿!

奇妙得紧,每听这部作品,特别是末了这一章,总叫我不期而然地想起几句唐诗。末章中有啼鸟乱鸣的一小段。代鸟儿发言的是长笛和双簧管。音乐并不拘泥于形似,却极富真情。听到这里我心里便浮起了晚唐人韦庄那句"六朝如梦鸟空啼"。这恐怕并不是不可解释的心理现象,音乐语言既然可以超越空间而沟通中西,也就不难超越时间而联结今古。

造物主画出的夕景,人间凡笔难以追踪,是因其静中有动。雷斯皮基用管弦妙笔写出了大气的升腾、波动、扩散。我想,德彪西说落日的景色中有音乐,也许就有这个道理。

《罗马的喷泉》(《罗马的松树》也一样)的配器精彩非凡。乐队中大量运用了特性乐器。如钟、铃、钢片琴、竖琴等。还有不常出现于管弦合奏的钢琴,还有一般更为稀见的管风琴。乐器种类多,乐队总谱膨胀到几乎有三十行,这本来是大有炫奇铺张之嫌的。但实际效果是各尽其用、各得其所,并非凑凑热闹的。假如删掉它们,音乐将黯然"减色"了。何况,损失的绝不止是"色"。以《罗马的喷泉》末章而言,那余韵悠然的钟声便是营造暮愁与怀古情怀的重要角色。钢片琴的叩击也恰到好处,有一处地方点染出"夕阳明灭"的细节,真切而又灵妙。

人所共知，雷斯皮基是配器大师里姆斯基－科萨科夫的高足。假如以"罗马泉"来对比他老师的配器，我更欣赏雷氏的"修辞立其诚"。

和"罗马泉"的构思有所不同，"罗马松"是借松起兴，把游客领到四个史感极浓的景点上去吊古伤今。我喜爱那后两个乐章，尤嗜其第三章。它的原题是《詹尼库勒姆山的松林》。标题文字很简单，只提示出"风声籁籁，一轮满月照出了小山上的松林。夜莺鸣唱起来"云云。

凭自己的主观感受，我把那个刺激不动联想的曲题擅改为《松风夜月》。这是中国味的。我敢这样改也正因为这一章音乐的格调、气韵大有中国味。

虽说我改的此题未能概括进曲中深沉的怀古之情，是个遗憾，但还算切合音乐的意象的。此曲中写风，是一种苍凉的意境，在西方写风的名篇中别具一格。它并不乞怜于拟声来造型，而是从音乐律动的波澜起伏中叫你感受着庄周说的"万窍怒号"，从而也就感受到了"风入松""树欲静而风不止"。

与苍凉的松风相契合的是苍茫的月色。沉沉夜幕却是由一棒锣声掀开的。大锣这乐器也古怪，从东方传到西土，用法与效果截然相反。西方配器家看中它的是它有静场的妙用。始作俑者是雷氏的那位老师（在《天方夜谭》[1] 末章中），然后是老

1　*Scheherazade*，现在通常译为《舍赫拉查德》。

柴在《悲怆交响曲》快落幕时也以大锣敲响了丧钟。

雷氏的手法虽然渊源有自，但并不与前人雷同。锣声余响未绝，忽又听到了钢琴的琶音乐句，衬着那加了弱音器的弦乐朦胧的长音，共同烘托出了夜气的凄清。

于是乎主角上场。一支独奏单簧管，其实也就是音诗作者的代言人。它契合着全乐队制造的"风"的律动，唱起了一支咏叹调，俯仰今古，一唱三叹，哀而不伤，淋漓尽致！这时候，几句中国古诗中咏月的名句又不请自来，涌上我心头："秦时明月汉时关""古人不见今时月，今月曾经照古人"……似乎很可移来解析作曲者的心思，至少，这是我自己的真情实感。

此曲中有一个可争议的话题。一曲将终的时候，作曲家请出了夜莺，让它现身说法。历来是借助在留声机上放录音唱片来实现的。据说也有用鸟哨模仿的。

曾有人很欣赏这种真鸟上台的做法，赞叹道："在夜莺的美妙歌喉面前，一切管弦乐器也都只好知难而退了。"然而持异议者也大有人在，认为这样做反而有害于艺术之真。

我曾听过《培尔·金特》组曲中《早晨》的一张老唱片。维也纳爱乐乐团的演奏奇美。从此再听别的演奏都觉得不过瘾了。可惜那张片子的结尾，突然出现了仿真的鸟雀声，顿时坏了胃口，画蛇添足，扫兴得很！那一套唱片据其说明是按《培尔·金特》诗剧舞台演出本录制的。那么仿真鸟声可能是戏剧演出为了加强戏剧性才用的吗?

但我始终讨厌这种仿真鸟声——有趣的是莫扎特的父亲所作的《玩具交响曲》,其中大用仿布谷鸟和其他鸟鸣的哨声,却是我十分喜爱的。

《罗马的松树》的夜莺,我也不赞成,总觉得是作者的败笔。也许这是因为我没有在现场倾听活的夜莺的福气,只能从济慈的《夜莺颂》中去想象而已。

意大利有位年纪不大的指挥家达尼埃莱·加蒂(Daniele Gatti),对"三罗马"的处理被评家认为有独到之处。他的做法是压低夜莺的鸣声,而让伴奏的颤音稍为响一点。几年前从英国《留声机》杂志上看到有关此事的评论,不胜其向往,到处找他的唱片。去年才如愿以偿。可惜他这种调和折衷的处理,仍然不能说服我。我总不解,作者为什么不能像他在《罗马的喷泉》的最后乐章中那样行事,让艺术来为大自然代言?

处处有音乐

一、人与艺术品同活

张爱玲的短篇小说《封锁》，快到收束处有一段精彩如画，如印象派绘画的文字，写女主角翠远惘然若失，在开足马力赶路的电车上一掠而过的所见，"翠远的眼睛看到了他们，他们就活了，只活那么一刹那。车往前铛铛的跑，他们一个个的死去了"。

《传奇》《流言》读过多少次，记不清了。有一次读到此，乐迷忽有所悟：乐之于人（爱乐成癖者），人之于乐，似乎亦复如此。一首曲子，或者仅仅是其中之片段，听时蓦然心动，尝到了其中滋味，那音乐便活了，而听者也觉到了自己活着。如果听而不闻，闻而无感，食而不知其味，那音乐便是死的了。

人同乐打交道，要做到"神交"，难乎其难！这里说的是自己这种"槛外人",比如雷斯皮基的"三罗马",我感兴趣的不过其中的两首,而在这其中,真正有"神交"的,只是《罗马的喷泉》与《罗马的松树》的各一乐章中的某些片段而已。

为什么能做到"神交",使自己和那音乐都刹那之间"活"了?这不是浅陋如我所敢打破砂锅问到底的问题,太复杂了!

但是其中往往有个"缘"的因素。我一不信神,二不信定命论,我所信的"缘"是可以追到"因"的。比如《罗马的喷泉》最后一章的暮色何以令我如此迷醉,是有个人的某些体验可以引证的。

张宗子《陶庵梦忆》中有一段话我时常记起:"余尝见一出好戏,恨不得法锦包裹传之不朽,尝比之天上一夜好月,与得火候一杯好茶,只可供一刻受用,其实珍惜之不尽也!"

艺术欣赏,有缘实在难得,我们要像张宗子那样珍重爱惜它。

二、文与乐之肥瘦

金克木先生谈当代中国小说:"鲁迅的文章比起当代文章来是太瘦了,但瘦得精神。当代文章是太肥了,可肥得有气派。……鲁迅的文一句可抵不知多少句……许多句删得只剩下一句,甚至一句不剩……现在需要气派,要反复不厌其详,要对读者下倾盆大雨。"

我立即有联想：莫扎特瘦，贝多芬也不胖，古典派音乐都偏瘦，骨肉停匀。浪漫派发了胖，有的虚胖，有的还得了自作多情的病症。于是听众们腻了。

三、熟知与立体化

张爱玲曾在向宋淇谈她对影星李丽华的印象时说："越知道一个人的事，越对她有兴趣。现在李丽华渐渐变成立体了。"

此一警语我觉得对读乐也颇有启示。对你感兴趣的曲子，越是细听，熟听，那音乐便越显得立体。原先听进去的只是线、点、面，比较常见的情况是只听到一条线（旋律线），熟听之后，才感受到体，而且是一个运动着的体。

老柴的《胡桃夹子》组曲是经得起细听的作品。起初听它，织体中的那些支声曲调你不见得会注意。例如《微型序曲》[1]第十八、一〇七小节中的第二小提琴声部；《进行曲》第五小节的大管曲调，等到你把它们听出来的时候，音乐便增强了立体化。

熟听才有可能默想。我们普通爱好者要做到像演奏家那样默忆是困难的，只能朦胧地想个大概，但这也是对读乐大有

1　*Miniature Overture*，现在通常译为《小型序曲》。

用的。

中国古来的山水画家虽然师法自然却并不对景写生，全靠饱览了名山胜景之后回去凭忆想来构思作画。

读乐也可以拿起谱来靠回忆默想其声，往往比依赖唱片呆听有益。虽然音乐在你意想中被淡化、朦胧化，飘渺如影，但这有助于你捉摸其流动的整体，而且是别有风味的。有兴趣磨练提高"听功"的爱乐者不妨试试。

四、令人惆怅的"叙事曲"

希尔顿的小说《再会，契普斯先生》，1940年便读过，是在《竞文英文杂志》上连载的。20世纪80年代，发现上海译文出版社出了单行本，如闻故人音讯，立刻买回细读。往昔只是稀里糊涂地读过，因为英文阅读能力太差。再读时靠了葛传槼先生的详注，才比较清楚地领略到原著中的情味。这十来年中，我把这本薄薄的书珍藏着，时常重读，仍然保存着新鲜感，而且觉得读文如同读乐。

书中前后呼应，几次重复了"再会，契普斯"这句话，简直像是乐曲中的主题。作者的文思有如作曲家的乐想。

我设想，如果要将小说改写成一首《叙事曲》的话，"再会，契普斯先生"作为一个重要主题来运用是很现成的事。当然，音乐中的主题可以变形，可以扩展或压缩，还可以加上和声、配器。这却是文字所办不到的，只好原型重复。

然而在这篇小说中，作者对这个"主题"的处理虽然简约而素朴，那情味却是深长的。

"再会，契普斯先生"，在小说中本来都是从女主人公口中说出的，到故事快收场时，垂老的契普斯同登门造访的少年学生握手道别，忽然从孩子嘴里发出了尖厉刺耳的一声："再会，契普斯先生！"话中那些字眼沿着他内心记忆的走廊回响：几十年前，结婚前夜，即将做他妻子的凯茜向他告别，半开玩笑而又一本正经，说的正是这同一句话。所以说是玩笑者，"契普斯"只是个绰号，并非正式名字。

少年人尖厉的高音，爱妻含情脉脉的女中音，二者形成了音色对比，何况后者又是从遥远的时光长廊中传来的朦胧黯淡的回声！此中的乐感是够丰富的！文字主题虽不能用和声、配器来强化、润饰，有体验的读者何不在心里自己来加工？

《再会，契普斯先生》颇有《浮生六记》的味道。不是情节相似而是味道，那味道便是惆怅。"惆怅"也许是中文所特有，不好翻译的一个词语。然而读此书，或听戴留斯（F. Delius）之曲，又觉得英国人还是很懂得写惆怅的。

五、从书法作品中感受速度

年青时候买读过一本谈中国画的书，日本人的著作，译者是傅抱石。事隔几十年，书名和内容几乎全忘了。不能忘的是书中从运笔的速度来观察、分析古代名迹中笔墨、线条的那个说法。我虽爱读碑帖、墨迹，对书道却毫无研究。但由于喜欢音乐，速度是乐艺中很重要也饶有兴趣的问题。我当然有体验，有兴趣，于是得以借助读乐的体验，注视、感受书法作品中的速度这种现象，更想通过速度，联系线条的节奏感、动势和织体，来倾听那种无声而有感的，从视觉通向内心听觉的"音乐"。

这是狂妄可笑的。有声之乐我真正听懂的尚且多乎哉不多也，更加玄妙的无声之乐又能听出什么道道？诚然诚然，我只是自以为有所感受而已。

在自己爱读的法书名迹中，从速度感上给我以强刺激与大喜悦的，无过于赵佶的《草书千字文》了。

直到 1988 年，我才从《书法丛刊》上见到它，一见之下的惊喜、新鲜，正像往昔头一次听到一套好曲子的新唱片。而那好感立时叫我想到了几十年前那本书中的"速度"，呵，我获得了速度感，而且是如风拂面的速度感！

我也同时有了乐感，我觉得它是充满了动力，用快板（Allegro）演奏的一曲乐章。根根线条都是在生长着，线条在快速运动中结成了字，字长成了行，一行又一行流淌向前。从"大地玄黄"开始，到"之乎者也"终曲，"挥毫落纸如云烟"，一气呵成了这件总长度为一千一百七十二点一厘米的长卷。读此卷，你不能停，欲停不忍，一断气就破坏了那个流动感、速度感，岂不是糟蹋了它和你自己的乐感！当你像读夏圭《长江万里图》般被那一江春水挟持而下，直到最后那个"也"字，看到那最后一笔斜扫下去，像马拉松选手冲刺到底时，你会不会暗暗叫绝，大喝一声彩？

我是愿意的。尽管是个罪恶滔天的亡国之君，但是赵佶创造的这件艺术品，仍然是我们国家人民的稀世之宝！

此中有乐！是用我们中国特有的黑白线条演奏的纯乐。一千个不相雷同的汉字，提供了织体变化莫测的方便，四言体的铿锵节奏，再加上对偶与声韵之美，都综合为一体，在你读此帖时起了和声配器的作用，岂止是赏心悦目，而且神妙地悦耳。当然，这是要靠有心人用与乐通感的内心听觉去追求的了。

梦圆梦破

20 世纪 40 年代初，我于无意之中从乐盲变成了一个古典音乐迷。说来可笑，诱我跑到古典音乐大世界门口去探头探脑的，是一篇关于贝多芬作《月光曲》的"克里空"假报道。编造这篇迷人的故事的是一位诗人。自从有了他这篇故事，被误导的乐迷不知有多少，都要向那首本无标题的奏鸣曲中去寻找月夜、湖光、茅屋、盲女和夜游的作曲家，寻不出也心造一个幻影来自我安慰。然而，许多人（我当然在内）又不得不深深感激他将自己领上了乐迷之路。

想当年，这篇故事深深触动了我的求知欲。人世间当真有如此神奇美妙如诗赛画的音乐？非弄个明白不可。于是所谓的《月光曲》便成了我乐迷生涯中倾听的第一首严肃音乐作品，当然，是在唱片上。

如此艰深难以索解之作，竟被当成音乐欣赏的开蒙课，当然是选错了教材，滑天下之大稽。但我虽然找不到"月夜、盲女……"，莫名其妙，却又发现这种音乐如此复杂，既不能供人消遣却也绝不像是故弄玄虚。求知欲受到了更深的触动，我便越发要打破砂锅问到底，听出一个究竟来。

硬着头皮一遍又一遍听下去，大有古时理学家对着竹子格物致知的劲头。与此同时又涉猎了一些不那么难懂的作品，很快地便真的上了瘾，从此也做起了钢琴梦。"人生识字忧患始"，我也一样，但除了"识字"，还加上"识乐"。

当年的家乡小城中，汽车是难得见到一辆的，钢琴更加稀罕。省立中学堂中有一架，但我只能隔着高墙听其声不见其面。从上海四马路上开明书店里买来一本丰子恺编的《洋琴弹奏法》，纸上弹琴，聊解饥渴。又买了《洋琴名曲选》两册，也是前人所编，其中便有《月光曲》，但用的是原题：《婴 c 短调朔拿大》，按如今通行的译法就是《升 c 小调奏鸣曲》。

当时看那谱子，如读天书。虽然对着谱子听唱片，还是难解，但是我越发想尝尝在键盘上化谱上符号为乐声是什么滋味。

日有所念，夜里便常有所梦。这是真正的钢琴梦，也可谓大梦中之小梦，有点像儿时常吹的大肥皂泡中套个小泡泡。

这种梦，几乎都是差不多的情节。总是以忽然有琴可弄大喜欲狂开始，突然便发现有琴弹不得，以懊丧欲死而梦醒。

其中最难忘的一梦，虽在半个世纪后的今天仍然记得比较清楚，不但情节、情状，连那梦中的感觉也依稀残留着可以再生。此梦的奇处是大有卡通片的味道：我拥有了一架琴，一切都满意，只是那键盘古怪，八十一个琴键有的宽有的狭，最宽的也不能容一指。我对着这作弄人的键盘发愁、发急，无可奈何！急得醒了过来，疲累得很，而又松了口气，有如摆脱了一次梦魇。

这是青年时代的苦梦。人到中年，钢琴依旧是可望而不可即。其实以我当时的工资收入，节省一笔钱去买架国产琴并非办不到，然而，一来是集体宿舍中没有它的容身之地；二来十活忙，何来闲空？最后也是最要命的，那年头，洋琴有阶级性，玩不得，听尚不可，而况弹乎！

到了大乱之后的 20 世纪 80 年代，情况不同了。下岗之后，从退休金中挖出两千块，托人走后门（当时钢琴难买）买了架立式琴，硬塞进床铺与书架之间，于是乎卧房、书房、琴房三位一体了。就从这天起，左邻右舍，楼上楼下，其他的房客也便对我制造的"噪声"有了怨声，而我也不觉便在同键盘的苦斗中打发了浩劫余生的一大半时光。

这才知道，自弹自赏之趣，妙不可言，乐不可言，我要说这是一种"纯乐（音 lè）"，是绝去了名与利的自为之弄，自为，也便大自在了。岂但不为名，我还唯恐人知，唯恐人听，友朋要听我一概峻拒；不为利，我并不想练成半瓶醋，半开门收徒，误人子弟，向不懂音乐的家长们骗几个钱来用。

直接摸键盘，同只靠两个耳朵去接受音响，接受音乐，那滋味大不一样。心连指，指连键，用自己的心与指驾驭着音符，叫它们按你的意向流动，又反馈于耳与心。从来都说写曲子是一度创作，演奏者是二度创作。那么自弹自赏也是在参与创作。人皆可以为诗人，人皆可以作曲，至少是参与其事。自弹自赏之参与，大大高于也深于只用耳朵听。

还是说些具体的。我到底乱弹了些什么曲子呢？有个统计，总数共约一百来首。你不要看不起这些曲子没什么难度。我选这些曲子并不只图个技巧不难，而是因为它们意境不浅。我只练那些百弹不厌之曲，比如德沃夏克那首《升 F 大调幽默曲》。弹此曲，我就在心里头想着克莱斯勒、艾尔曼和斯特恩在小提琴上拉的韵味，品尝着它在提琴上和钢琴上的不同。又比如贝多芬的《G 大调小步舞曲》，此曲很好学，并无难度。所以每弹就会发笑，好笑什么？因为总容易想起历史上那个滑稽小镜头：在一次三巨头高峰会谈中，美国总统杜鲁门要卖弄自己会弹琴，弹的就是这个连小小琴童也弹来毫不费力的曲子。

但是我积累的曲目中也有对我来说难度相当大的，比如有肖邦的《降 E 大调晶丽圆舞曲》，每弹就会联想起，"晶丽"这个词现在都译成"华丽"（原文乃"Brilliant"），而徐迟当年译为"晶丽"，语感绝美，几十年来一直深印在记忆中，它也把此曲的特殊风味点了睛。

最最有滋味的是我把《月光曲》的前两个乐章也练了出

来，这对于我真是颇有戏剧性的事，或者说大有小说情节前后
照应关合的味道。试想，当初把我诱上乐迷之路的是它，害得
我大做钢琴梦的也是它，如今我竟能在自己的琴上自弹自赏这
首几十年来听了一千遍不止的世界名曲，虽然弹不全，也弹
不好，见不得人，然而这岂不是钢琴一梦的美满之极的大团
圆吗！

《月光曲》岂是好弹的！贝多芬的三十二首奏鸣曲几乎没
有一首是好弹的。但如果只是照着谱子弹音符，那么它那头两
个乐章并不难对付。因其速度不快，节拍也不复杂，只要有一
定的基础，不厌其烦地练就可以弹出点意思来。

那么只是照谱画音符又如何能弹得津津有味、乐在其
中？这也有个解释，除了前面讲到的自为、自在、自赏之乐
以外，还有个原故，这首曲子我同它已经打了几十年的交道，
莫逆于心了。尽管我像某些眼高手低的书法家一样"腕下有
鬼"，但我指上做不出来的乐感自有那些记忆库中存放着的资
料来补充。

风雅事要有本钱，代价之一是有时间。即便是萧伯纳式的
乱弹琴（正是受了他的启示，也仗着有他的先例，我才有恃
无恐地也乱弹起来），也得投入大量的时间，不可能坐特别快
车。除非你用黎锦晖的"黎式弹琴法"，但那种弹法虽也自有
它的用处，可以只弹旋律，有和声复调的曲子就用不上了。

自弹自赏，乐不可言，一坐到琴面前，能叫你完全忘了时

间。所以每次我都要向自己预敲警钟，以免误了大事——开煤球炉子或莫把饭烧焦等等，免得儿子们放学、下班回来饿肚子。我虽退了休，免除了等因奉此、文山会海，但仍做不成盛世闲人。那么你怎有闲空玩琴？这说来话长，也不足为真正有闲者道。说得简单些，钢琴挤掉的是无聊应酬，不值得看的报刊、电视节目，旅游……这倒也挤得好，不过也挤掉不少读好书的时间，但鱼与熊掌又何可兼得！

以六十多岁的垂暮之年，得与朝思暮想了几十年的钢琴朝夕相处，能不在睡梦之中也笑醒过来吗！可叹的是我的琴现在无声无息了。抚琴者抵抗不了衰老的自然法则。十个手指头颤抖得厉害，再也不听大脑的指挥。辛辛苦苦操练出来的那一百来首琴曲，包括那首读乐开蒙曲《月光曲》的两个乐章，一股脑儿付之东流了。

好梦不长，圆而复破，是人间常事，我又何必怨天尤人，借鲁迅先生一句诗："由它去吧！"

最美是乡音

——为了追寻洋琴中国化的梦呓

四十年一觉钢琴梦！这是我曾经谈过的话题。大梦初醒，残梦依稀，且再作些补忆。

一

钢琴自从 19 世纪漂洋过海来到中华，到了 20 世纪中叶，已经有一个世纪了。但它还戴着洋帽子，许多人呼之为洋琴。

想当年，自己迷上了它而又无琴可弹，只得先去上海四马路东头开明书店买了本薄薄的《洋琴弹奏法》来读，在一架只有四组音的小风琴上，照着书中插图胡乱练练指法、音阶，聊以过瘾。这本入门教材是丰子恺编的。那时除了这一本之外，再无别的中文资料。丰先生还编了《洋琴名曲选》上下二册，我也不管三七二十一买回来，其实对于当时的我根本用不上。但其中第一首便是《月光曲》，正好拿来同唱片对照着读，硬着头皮读，前两乐章还勉强，第三乐章便完全跟不上了。有趣的是这本谱里的这首曲名译成《婴 c 短调朔拿大》，朔拿大当然就是奏鸣曲（Sonata）的音译，"婴"即"升"，"短调"即"小调"。这又带了点东洋气味！

难怪，起初一想到钢琴，我便联想到"洋"，一听到唱片或收音机里传来钢琴声浪，也总觉得带着一股洋腥气。

但是这种想法、感觉，后来发生了微妙的变化。

20 世纪 40 年代初，已沦为孤岛的上海滩上，有几家商业性小电台，经常播一种新编的曲艺，用上海方言，带说带唱，油腔滑调。更可恶的是，不用琵琶、三弦，却代之以我想弹而不得的"洋琴"，火上加油的又是我厌恶的黎（锦晖）式弹法，还敲得像个打击乐器。这种声音不慎入耳，便"挥之不去"，作三日之呕！

这也可谓洋为中用吧，然而叫人怎么受得了！没想到，倒胃口的"洋泾浜"外语式的"洋琴华化"，却又为我发现《牧童短笛》时的大惊喜作了强烈的铺垫。

俄国人齐尔品自掏腰包两百块大洋，委托上海国立音专举办中国风味钢琴曲征集，《牧童短笛》得了头名，洋琴华化从此开了新纪元，那是 1934 年间的新闻。当年我才十岁，是个小乐盲，更不知钢琴为何物，几乎连它的声音也没听见过。

直到 20 世纪 40 年代初，《月光曲》的唱片在我心眼中展开一片文化空间，宏深莫测，诱惑力难以抗拒，从此我便沉迷于严肃音乐中不能自拔了。从旧书摊上无意间淘得几本往昔上海国立音专同人编的《音乐杂志》，才见到有关《牧童短笛》的报导。可恼者不但买不到、听不到唱片（丁善德录的百代公司出品），连曲谱也不知何处可觅，我只能极力臆想那中国风的音乐是怎么回事，然而终究一片茫然。

可怜，只是从收音机中听了石人望演奏的口琴二重奏，我才头一回认识了它。从键盘上移植到口琴上，音响截然不同，只因为还有一支重音口琴奏对位主题，保存了原作精心构思的复调之美，而且是中国味的复调，因而原作的本质犹存，那一股新鲜味冲击了我的听觉，沁人心脾，铭刻下时光磨洗不褪的记忆。

毫不迟疑，我马上写封信向石人望讨谱子，不多久便收到一份用蜡纸刻写油印的简谱，印在比较厚的浅黄色粉画纸上。为了同朋友练这一改编曲，又特地请人从上海永安公司买回一支重音口琴。我也在小风琴上结结巴巴弹会了那前后两段。中间一段，小风琴的音域不够，我也无此水平。终于听到钢琴演奏《牧童短笛》的唱片和看到完整的钢琴谱，又是几年之后的事了。那张唱片当然是每分钟七十八转的粗纹片。正面是此曲，翻过去是《摇篮曲》，齐尔品奖的第二名，也是贺绿汀写的。再等了三十来年，两鬓已霜，我才圆了钢琴梦。在自己的琴上，我最先学会并长弹不厌的，除了《月光曲》，就是《牧童短笛》。前者曾令我愕然发现世上有自己从来不知也想不到的西方音乐；后者唤醒了我对本土乡音的潜在记忆与情结，从此觉得，洋琴之声也是可以华化的。

二

往昔身处家乡小城，虽然除了《牧童短笛》与《摇篮曲》以外再听不到其他中国钢琴曲，但从中国艺术歌曲的钢琴伴奏中也时时尝到可喜的中国味，有的简直就可以当钢琴小曲听赏。

印象特深的如赵元任的《教我如何不想他》，那伴奏部分着墨无多而对唱腔尽了烘云托月的能事，过门也是言之有物余韵悠然。新诗的歌词，新派的曲调，加上那精妙的伴奏，三绝融为一体，不仅是道地的中国味，而且是表现了五四风流的时代新声。而我还无意中听到了作曲者本人中国气派的演唱录音（也是百代唱片），那就更添了一绝，我真是三生有幸了！

又如刘雪庵为李白诗谱写的《春夜洛城闻笛》，引子与伴奏中勾画出令诗仙不胜惆怅之情的玉笛清音。伴奏的织体简约得不能再减，然而效果绝妙，境界全出，叫我心醉神驰于光华灿烂的唐代诗乐盛世了！

忍不住再添一例，还是贺绿汀的。那年头，《秋水伊人》是流传众口的电影插曲。它那歌调固然情深韵美，伴奏之妙也是经得起重温的。这首歌的百代唱片的正面是《秋水伊人》，另一面是《思母》，词是两篇，曲是同样的，然而却配上了两样的伴奏。一面用了钢琴，另一面是弦乐，都是用了洋乐器而叫人忘其为洋了。

三

1945 年初夏，我从家乡绕了个弯子到上海，然后北渡去苏北，为的是到现场去倾听那改天换地的"交响曲"。这样一来，"钢琴梦"便自然且放一边了。

可巧那天八仙桥青年会楼上有一场小型音乐会。节目单上有我渴慕已久的《山在虚无缥缈间》，这当然是非去听一下不可的。场子不大。女声三部只有三个人（记得其中一位名屠月仙），倒也让那一架伴奏钢琴上流淌出的"中国味和声"的声响分外晶莹澄澈，听着如同醍醐灌顶，遍体清凉，这一餐中国色香味的美食真是铭心刻骨！

另有一场独奏音乐会在杜美电影院，我也没有放弃。一位白俄流浪者用三角琴（Balalaika）作了炫技性表演。对那个斯拉夫民间乐器，我并无好感，觉得比不上我们的琵琶有前途，虽说它声音洪亮、音准准确是可取的。节目中的肖邦《升 c 小调圆舞曲》，我更不入耳，曲中的绝色和她灵妙的舞姿在那个形容丑陋、嗓音粗糙的乐器上庸化了！

然而这也提供了与音乐民族化有关的问题，正好是我要思索的。

钢琴梦一搁置就是四年，而那是一个一天等于二十年的大时代。1949 年，随军南渡，来到姑苏城，我得空便寻访拙政园，因为听说社教学院在那里，它有个艺术系。名园虽已残败憔悴，却有琴声锵然，穿林渡水而来。我顿时心里作痒，起了续梦之念。于是，直奔传来琴声的音乐教室而去。教室小小的，人也不多，原是一所小榭，改造了暂派教学之用。我的目标是《春夜洛城闻笛》《飘零的落花》的作者。刘雪庵教授已拿起皮包准备下课了。我不管冒昧不冒昧，上前攀谈，启请他通俗地简单说说所谓中国和声的问题。他慨然同意，拿起粉笔头，在那块画了五线谱的黑板上写了几种和弦，并且联系琵琶上四条弦的定音，又在钢琴上弹了一串和弦，简要地谈了几点方才离去。此时人都散了，只留下一位同学，是本地人，他要利用时间练琴。多承这位王君的美意，我听到了刘先生作的《中国组曲》，可惜暮色已浓，只来得及弹了第一乐章《头场大闹》。不过，几天之后我便专程跑到刘先生寓中向他求借到《中国组曲》的谱子。那又是热心人齐尔品帮忙找外国出版商印行的。

捧回《中国组曲》《小奏鸣曲》《屈原》插曲《橘颂》[1] 等曲谱，开夜车、开快车抄下来，打在背包里，背起来继续南下了。

中国味浓郁的《中国组曲》，如今收在《刘雪庵作品选》

---

1 《橘颂》是《屈原》插曲。

（中国文联出版社）里。这是在作者泪枯目盲，含冤逝去十五年之后好不容易才得以问世的，也是我期盼了多年的。一拿到手忽有所悟，这是一本从诸多方面放射出"中国味"的曲集，最有启发的是：中国味绝不仅仅是清清淡淡，香气袭人，喝了可以解腻、可以消闲的碧螺春一杯；它是复杂的，极其复杂的！

赏乐不能只靠一双耳朵

——乱谈"乱弹琴"

据说现代中国燃烧着愈演愈烈的钢琴热，我看又像又不像。

琴童成千上万；私人授琴，供不应求；五花八门的考级；尖子到国际大赛台上夺取大奖；傅聪自认在技巧上愧不如今天的后生小子，等等。真像是中国的钢琴盛世来到了！

说不像，有几方面的看法，本文只说其中之一，那便是：只见琴童与家长围着钢琴辛苦奔忙，看不到有多少真正爱琴弹琴的青年、中年、老年人。至少以我这个未见大世面的人的狭隘见闻是如此。虽然无从"小心求证"，但我敢冒昧"大胆怀疑"，"盛世"是否真正出现，尚待下回分晓。

不能只用耳朵听

仅仅靠两个耳朵，你所听到的音乐只是"单声道"的。乐流进入心田的渠道并不只有听觉。自己动手弄音乐，才能把全身心全部感官调动起来，"多声道"地全面、全息地接受音乐。光是侧耳倾听，基本上是单向、被动的，亲自动手弄音乐，吹拉弹唱，自主、自为、自娱，才能自得其乐。

虽然是个听乐六十多年的老乐迷，我惶恐的是讲不出多少大道理，但是见到真心爱乐的朋友，我总劝人家自己动手弄音乐，不要满足于听，更不能光是听唱片。

四十年钢琴梦

自从迷上了音乐，我从此也成了吃"罐头食品"的"美食者"。幸而我也迷上了唱歌弄乐器，口琴、二胡、小提琴、古筝、古琴、簧风琴我都摸过，最迷的就是钢琴了。

所谓"钢琴梦"，既是形容也是纪实。由于朝思暮想，常有钢琴入梦。但总是以好梦开头，以苦恼结束。梦里的钢琴都是只能看不能弹的，这大概不难用弗洛伊德的理论去分析。

"八十岁学吹鼓手"

当我托人"走后门"买到一台英雄牌立式琴，把它硬塞进床铺与书架之间的空档里的那年，我已经六十岁了。并没求师，只靠自己埋头苦练，我的方法很简单：少弹单调无趣的练习曲，多练自己喜爱的曲子。

只求自娱，绝不人前卖弄，也没有可卖弄的。别人，包括熟人好友要我弹一曲，一概拒绝。既无童子功，又是烧的急火饭，内行听来肯定是受不了的，然而我自弹自赏、自得其乐的目的是完全达到了。不仅如此，还有助于读乐，尝到了不小的甜头。

琴童们常常是被迫练琴，那是苦差事。而我自讨苦吃，反而乐在其中。这可不是自吹自擂，须知我是劫后余生，孤家寡人，偌大年纪还要伺候煤球炉子，操办"开门七件事"，为两个上中学的少爷做后勤，虽是退休老干部，不少"神仙会"还不能不到场。于是练琴只能忙里偷闲挤时间了。有时弹得兴起，忘乎所以，烧出了上烂下焦中不熟的"三宝饭"——却可以证明我的确是专心致志练琴的。

我的美食"菜单"

苦中有乐，练了几年，居然积累了一份"曲目"。我把它抄了个目录，作为自己的美食"菜单"，经常温习，并不断增加新的。

"菜单"上既有一些技术不难、速煮便可品尝的，例如巴赫《十二平均律钢琴曲集》中的《C大调前奏曲》、麦克道威尔的《致野玫瑰》、德沃夏克的《降G大调幽默曲》、贝多芬的《G大调小步舞曲》等等；也有对我说来有难度但可以克服，却要多投入时间的，例如门德尔松《无词歌》中的《五月轻风》；更有难度较大的如肖邦的《降E大调夜曲》等等。

其中有些曲子我特别珍视，每一弹弄不但陶醉在乐中也陶醉在自己乐迷生涯的回想中，那滋味之浓真是没法说！贝多芬的《月光奏鸣曲》是我的爱乐启蒙课，对它，我有一种神圣的感情，我忍不住要来学弹它那似乎不难对付的前两个乐章，也竟然把它们弹会了！这是往昔的"钢琴梦"中都不敢想的事！当那慢乐章中三连音的涟漪从自己的指下潺潺流泻而出之际，虽然如此轻柔，我精神上却感受着难以言说的震颤，像是眩惑，又是极乐（Ecstasy）！自从 20 世纪 40 年代以来，此曲的唱片听过了至少有一千遍吧，现在像是读过了译本终于直读原著，像是同我五体投地崇拜的乐圣在面对面倾谈了！

这类"触电"式的共振交流，仅仅靠双耳听唱片也时或有之，但哪有这样丰富、微妙。《月光奏鸣曲》慢乐章里从第二十八小节起，有一段高低音的一问一答，意味深长。当你亲自在键盘上把它做出来的时候便会有窃听到了作者心声的惊喜。

我的"菜单"上不光有原作，还有从原作移植过来的改编曲。20 世纪 40 年代我常常站在上海罗辨臣琴行的橱窗外，脸贴着玻璃呆望摆在那里头的贝多芬交响曲钢琴改编谱，无奈买不起！现在，我不但有了苏联版的谱子，而且斗胆弹起了《命运》《田园》《第七》《第八》，甚至《合唱》来了，虽然不过是弹一些选段，然而那受用之大是非同小可的，也是多方面的。首先，这帮助了我精读原作。尽管比原作删繁就简，然而练了以后，原作中的主要声部和织体便了然于心了，再对着总谱去听原作，就容易跟上；而且那些本来逃过了你注意的次要声部与支声复调也忽然突现在你面前，叫你觉得像在听一首新的乐曲。

弹改编曲帮助你听配器

这样说似乎不通，比起七彩缤纷的管弦乐来，钢琴曲好像黑白照片了。可是事物之妙常常因为有比较与对照，在改编本的对比下，再去听原作，你的色觉色感便被刷新了。在琴上弹过莫扎特《g小调交响曲》开头那一章，再细玩原作，才懂得门德尔松关于此曲难以改编的话一点也不错。而如果在琴上弹《天方夜谭》组曲的随便哪一章，又会发现，脱下了华美的彩衣，原作生气大减，变得令人不耐。这也就更深一层说明了配器与音乐创作的关系。

化身为指挥家

在琴上弹奏你心爱的管弦乐佳作改编曲，更大的享受恐怕还是你可以过一下当个"指挥家"的瘾。八十八键的键盘就是一支听从你调度的乐队。也可以说，它比真的乐队还要服从指挥，你可以尽情发挥，反复"排练"，试验你对不朽名作独立思考的个人演释。

比如《命运》的首乐章，那速度该如何掌握是相当微妙的问题。19 世纪以来，风习几经变化。托斯卡尼尼指挥此作的速度，有人说得神乎其神，有人写了不短的文章专题评说。我们何不在钢琴上当个假想的"指挥家"，试一下，以求得体验呢。那不是会比看文章、听唱片的感受更亲切吗？

重返梦中，手还在而心未死

倒霉不倒霉！几年之前，手出了问题。写字弯弯扭扭，拿筷子夹菜，摇摇晃晃送不进嘴里，遑论弹琴！"十年辛苦不寻常"积累下的近百首心爱之曲就此报废！圆了梦又重返钢琴梦。

人还在，手还在，心不死。虽然眼看要到八十，我仍盼望，一息尚存，手能恢复。有个想法是用弹琴来治好它。我要把老曲子都恢复，还要在"菜单"里再添新的，即便此愿成空，我也总算尝过了甜头，可以在鼓动朋友动手自弹自赏时不说空话。

朋友们肯定想追问我练琴的具体方法。抱歉，"我用我法"，不足为外人道！不管黑猫白猫，能抓到老鼠就是好猫。我奉行的是实用主义，要抓的老鼠是自己心爱的好曲子。行家听了好笑，或斥之为乱弹琴，我欣然接受。其实我也是受了大文豪萧伯纳的启示，他的先例壮了我的胆，"吾道不孤"！他便是《卖花女》《华伦夫人之职业》等名剧的作者。今天的爱乐者可能不大清楚他还是世界级的乐评家。他评的是音乐会中的现场演奏，不是唱片，更不谈版本，乐评集三大厚本，每本近千页！

萧伯纳无师自通，通过"乱弹琴"自修乐理，在键盘上饱读名曲，如此一来他便有了评乐的本钱。每一想起这位先贤，我也便问心无愧地"乱弹"下去了。

不过，我并不想不看对象推销这种"自由主义"的练琴法，只要殊途同归，各从所好可也。中国往昔有一种"黎式弹琴法"，可能其发明要归功于黎锦晖吧？它对于音乐教育的普及是功不可没的，但在今天，爱乐者不会也不该满足于那种"单声道"的弹奏了。

还要啰嗦几句，我辈所爱的是严肃音乐，业余自弄，也是严肃真诚之事。如果以玩世心态，以此美容，以此消闲，还不如不弹。

小议"时光法庭的裁决"

旧世纪冉冉逝去，新世纪迎面而来。从历法上看已无账可算，返顾乐史却感到麻烦，20世纪的音乐不像19世纪那么流派分明，竟像一本头绪杂乱的账，是盈是亏还无法估定。音乐文化的主流是进是退，还是在徘徊？似乎还要留待将来的史家来评定了。

有此一说："时光乃最高法院，作品在那里听候裁决。"说这话的是单枪匹马编著《牛津音乐指南》的英国音乐学者斯科尔斯，那是一部十六开一千页出头的大书。他从19、20世纪之交伦敦、纽约的重要音乐厅节目单中目睹了时光大法官的无情判决，许多名噪一时的新作，转眼之间便从节目单上不见了。

斯科尔斯还敏锐地注意到，唱片、广播与电视的传播音乐是在发挥一种催促时光法官早点宣判的作用。此言甚妙，而且并不虚幻。录音与播放手段的发明、普及，应该看成是音乐文化史中的一件大事，理应大书特书的。其威力与功罪也是值得人们深思的。它的普及，尤其是它的可重复性能，实际上是将原本需要漫长时间才能见分晓的过程缩短了，也仿佛将时光缩短了。可以想见，由于录放手段的迅猛发展，数量高速增长的听众，随心所欲的重复听赏，音乐作品所经受的淘洗、考验之严峻是史无前例的！往昔的听众要凭亲身现场感受来评定贝多芬《合唱交响曲》的价值是很艰难的，即便在贝多芬已被公众尊为乐圣的 19 世纪，即便在欧洲音乐中心之一的莱比锡，门德尔松主持着格万德豪斯管弦乐队，弘扬经典，不遗余力；贝多芬《第九交响曲》在十年中只不过演出了九回而已！

既然如此，对于那些经受住了近一个世纪的严峻考验，至今仍保留在音乐会节目单与唱片目录上的前代名作，似乎不必再怀疑其价值了吧？

窃以为还是可以质疑的。所谓时光法庭的判决，实际上是由一代又一代的广大听众来实现的。然而正像天上和人间的审判的"公正性"那样，时光和公众的"合议庭"对作品的判决似乎也并非绝对公正毫无可议之处。

区区并不研究音乐学，既没本钱也无兴趣来就这个大题目做大文章，只不过回首前尘，对一些自己偏爱之作如今欲听而不可得，因而不免心存疑问罢了。

我枉为一个老乐迷，其实碌碌半生，既不能占有包罗宏富的名作录音，也未能充分利用自己的时间博览精读，见识有

限，惭愧得紧。然而即在自己有缘接触的那些作品中，对时光
老人与公众的权衡取舍究竟是否公道也不免常有感慨。

比如，瓦格纳的作品虽然在 19 世纪七八十年代红得发
紫，20 世纪却已降温，但也已成了经典。看今年纽约交响乐
团的演出节目单，乐剧《指环》中的选曲仍旧是接连五六场不
换的重头节目，看来此公身价还是不低的。

可怪也可惜的是，他有一篇真正的杰作却似乎被许多人遗
忘了！我指的是《浮士德》序曲。

直到 20 世纪 70 年代末，我才听到此曲。别人写浮士德的
音乐，也听过一点，没什么吸引力。古诺的歌剧音乐，浅俗不
耐听；李斯特的《浮士德交响曲》虽然刻意求深，并不能使我
同歌德的诗篇印证。而瓦氏此作，一听便打动了我，觉得是为
歌德之作传神的 "音译"，从此成了嗜爱之曲。磁带录音是朋
友从 LP 唱片上移录的。经不起反复多遍的倾听，终乃报废。
我徒然地到处寻购磁带与唱片，至今渺然！

瓦氏一生尽瘁于乐剧的创作，对交响曲虽也有雄心，可奈
无暇兼顾。《浮士德》序曲其实是他意想中一部交响曲的一个
乐章。读此曲，可以感到其气象之阔大，意境之深远，实在够
交响曲的派头。一比之下，他老丈人[1]那部交响曲更显得支离
琐碎。瓦氏这部大作如能完成，也许会实现歌德的期望也未可

---

1 即李斯特。

知，他本指望莫扎特写歌剧的。其实贝多芬也一直打算写浮士德。所以瓦氏那首交响曲未能完成是乐史上一大憾事。现在，这首可以说是浓缩了交响曲乐思的序曲，又似乎受到了不公正的冷淡，令人大惑不解！

再举一个门德尔松的例子。经受了一个半世纪的考验，他的地位想来是不会动摇的了。19 世纪的英国人拿他当个偶像来顶礼膜拜，令人肉麻。20 世纪的德国法西斯将其作品逐出国境，反而激起人们的义愤。他写的小提琴协奏曲，众多名手演了又演，录了又录，在大赛中又成了必考之曲。无止境的过度重复终于把它那青春的新鲜感给损毁了！老乐迷再要找回当年初次相逢时所感受的莫名惊喜已不可得，除非有什么办法把记忆洗净，再重新来听它一遍！

同听众对此曲的过分溺爱相对照，门氏也有不该受到冷落的作品。那便是音乐会序曲《芬格尔山洞》，又名《赫布里底群岛》，其实作者所考虑的原名是《孤寂之岛》。

瓦格纳这人反犹而又迁怒于乐，对门德尔松的作品是反感的，但他也称赞过《芬格尔山洞》写得好。笔者同此曲已有六十多年老交情。当初听的第一张唱片是比彻姆指挥"伦敦爱乐"奏的七十八转粗纹唱片。多年来，门氏的小提琴协奏曲已难得有兴致再听，即使勉强一听也叹息其光华已褪，不能卒读。然而《芬格尔山洞》还是时不时找出来，听得出神忘我，常听常新。其中胜境，三言两语说不清。

此曲倒并非没有唱片可觅,只是从乐友们的交流中和报刊上的评介来看,不少人可能并未发现这一"山水画"杰作(丰子恺在一本名曲介绍中赞门氏为"第一流的音乐山水画家")。

地位比以上两位更崇高的贝多芬,时光与公众对他的作品似乎也不见得都很公正。我们当然不好讲他全集中每一首作品都是精心杰构,但九部交响曲是人类交响曲文献中的几座奇峰是并无异议的。当然,"九岳"不是一般高。《第九》如珠穆朗玛峰高耸入云,《第一》则有稚气。余下那七首就像珠峰外围林立的高峰,各有胜景。可惜的是除开《命运》《英雄》《田园》在音乐会节目与唱片目录中常见以外,余下的几首,探胜者便似乎不多了。不少朋友虽买了他的交响曲全集,对那《第二》《第四》《第八》恐怕是难得一顾的。其实,《第二》之朝气蓬勃,《第四》之缠绵悱恻,《第八》之天真烂漫,意匠、风格都和其他那几首迥不相似。一方面是知名度高的那几首形成过度重复,一方面是由于介绍不力而少有人问津,这是要为作者所倾注的苦心抱屈,也为听者的损失遗憾的。

长篇巨制、大块文章受到不公平的待遇,其例尚多,而我更想为小品中被亏待者鸣不平。概而言之,20世纪二三十年代,小品风靡一世,固然同克莱斯勒等人之提倡有关,但也同"初级阶段"的唱片关系非浅。十英寸的粗纹七十八转唱片,一面录舒曼的《梦幻》,另一面录德沃夏克的《幽默曲》,乐曲的长短正适应片子的容量。此其一。小品虽也可在大型音乐会中表演，尤其可充"返场"加演之用；然而，按小品的性格、情调来讲，放在沙龙中娱客或在家庭里自玩更合适。此其二。但还应看到，小品音乐自有其独特的甚至超过大曲的欣赏价值，唯其小，就比较容易让你从整体上来感受它，大曲则难。小品中的神品肯定比大曲中的凡品更值得玩赏。

　　二战之后，LP、磁带录音、CD相继出世，载体缩小而容量大增，这一变革有利于大曲、套曲的传播，恐怕也造成了听曲者重大轻小的心理。于是无论是作还是演，小品衰微了，有些小品听不到了。且随便摭拾几个例子说说：《纪念品》是德尔拉[1]之作，当年克莱斯勒灌的那张胜利唱片上，中文译作《回想》。今天已不见于少数几个名手录的小品集CD中，可怪的是克氏全集中竟也未收此曲。此作虽略带沙龙脂粉气，其实是言之有物耐得起咀嚼的上品。

　　更可惜的是莫什科夫斯基的《吉他》。原来是钢琴曲，改编为小提琴曲，表现力越加丰富。其中用人工泛音再现主题，绝妙地传出了一位街头老艺人那风尘潦倒的苍凉心境。本容易流为"花样经"的人工泛音，在这里真正是为艺术服务，是神来之笔！它也曾是海菲兹的返场曲之一，但在现今的"大全集"中却把它漏了。

1　Frantisek Drdla，现在通常译为德尔德拉。

克莱斯勒灌过片子，而今天翻录的 CD 集中未收的，还有一曲《印第安人的爱之呼唤》。本来是当年大流行的音乐剧《迷迭香》中一首主题歌。印第安五声音阶的旋律，配上新而不怪的和声，再加上克氏用他那风味独绝的"表情滑奏"来传情，听了真有如一株奇花的异香扑鼻，齿颊留芳！然而今天怎么竟无声无息了？

以上拉拉杂杂，信口而谈，多为门外妄说，不值方家一笑，但却是一个老乐迷的真情实感。于此又可思索的是，音乐作品之评价与流传，那因素实在错综复杂，想求得人人举手一致通过无异议的共识，简直不可能，其实也不必要。作为一名爱好者，我们同作品的关系中还有相当大的偶然性因素；喜欢与否，感受的深或浅，都不免受某些偶然性的影响。那也许可以说是一种缘分。我们恐怕只好一方面尊重时光、公众法庭的裁定，一方面凭自己的缘分去求各自的耳福罢了。

老乐迷缅怀老音响

音响器材如今日新月异，广大嗜乐之徒借以获得无上的听觉享受。枉为一名听乐六十年的"乐迷遗老"，鄙人对此道竟不能置一词，惭愧！想来想去，只能追怀一番20世纪的老式音响器材，而且是蹩脚的手摇式留声机，聊博当代赏家一笑。不过，触动我来怀旧的也有几个原因可说，一是"忆苦思甜"，鞭策自己珍惜今天的耳福，二来也想奉劝大家充分利用拥有的新器材，将经典名作中的精微之处细细领略，切勿有负作曲者的苦心，而这在往昔的老音响器材上是无法做到的。

留声机这东西今天是否已化为不值钱的古董。知其名而不知其为何物的中、青年人恐不在少数吧？可是在20世纪20年代到40年代间，它几乎是爱好者听赏古典音乐唯一的工具。

留声机中档次最低的是便携式手摇唱机。它只有手提旅行皮箱一半大。它的唱盘靠发条来驱动，用摇柄把发条上紧，唱盘便以每分钟七十八转的速度带着唱片旋转，它的发音也靠机械振动。"唱头"上安一根唱针,针尖放进唱片上的音纹中,随着音纹向前转进,针尖与音纹相磨擦,产生振动,唱针上的振动通过"唱头"传到"共鸣箱"把它放大,而且加以润色,再送到我们耳中。在房间里听起来,那音量倒是足够的。但那音频的高低幅度就小得可怜了。管弦乐曲中的三角铁、短笛、定音鼓和低音提琴,如果是弱奏的话,就若有若无了。可是比起鼻祖爱迪生首创的蜡筒录放器来,手摇机已非音乐家鄙夷的玩意而是爱乐者离不开的恩物了。

我对西方古典音乐由好奇而着迷,是 20 世纪三四十年代之交的事,当时留声机和唱片已进展到电气录放的新一代,但我的经济条件还无福消受,只能满足于老式的手摇唱机。不过当时的手摇唱机也已大有改进。其中关键在于"唱头"与"共鸣箱"。"唱头"上的关键似乎又是那片振动膜。早期的唱机上,振动膜是用矿物质的云母为材料,厚厚的一片,振动起来比较迟钝,后来被淘汰,代之以薄薄的金属膜片,灵敏多了。但同样是装上金属膜片的"唱头",市场上许多大路货唱起来音量小音质闷。换一个"歌林"牌的唱头一试,顿觉清亮悦耳,感觉为之一新。

至于"共鸣箱",早期的唱机上都连着一个大喇叭,那就是起放大作用的,效果很差。改进了的唱机革掉了大喇叭,缩成一个并不大的屈折的管子,安在唱机箱里面,同动力机件挤在一起。虽然缩小,音量与音质却大大胜过原先庞然大物的喇叭。在这其貌不扬体积不大的"共鸣箱"中到底有何奥妙，我至今还想弄个明白。据一本谈留声机的书中说，"共鸣箱"的革新创造曾经绞尽了众多制造家的脑汁。其中有一人想把小提琴的琴身移植过来，变成留声机的"共鸣箱"，使之唱出提琴那样的美声。当年市面上杂牌唱机多得很，外观并不差，唱起来没劲。"歌林"牌子的唱机貌不惊人，声洪音亮，大不相同。我却买不起，只能用杂牌的，配上"歌林"唱头也就满足了。一位家境富裕的朋友，有一天拎来一架新买的"歌林"机子邀我共赏。放了一曲莫扎特的《布拉格交响曲》，听得我垂涎三尺。此情此景此声，六十年后的今天依稀可觅！

其实，真正讲究的行家，对这类便携式的机子是不屑一顾的，岂但不屑，简直认为不能容忍。伦敦泰晤士河上，游人仕女，荡舟休闲，常携一架手摇机放放音乐，竟引起一位绅士的义愤，在一篇谈欣赏的文章里他大义凛然地主张国会应该立法禁止云云！发烧贵族们享有的是落地式高档唱机。至不济也得用一架台式的。惭愧得紧！直熬到20世纪50年代中，我才从旧货行里淘到一架"落地式"，花了当月工资的三分之二。那还算不上真正高级的货色，然而当我把它搬回去，把一张老奥伊斯特拉赫拉的《引子与回旋随想曲》放上去开起来的时候，为其远胜于"手提式"的华美之音响所陶醉，不禁有贫儿暴富之感了！

用老式唱机唱老唱片，日常的大量消耗是唱针。唱片都是双面，每一面放一遍必须换一根新唱针。不如此，那已被片子磨损的针尖便同音纹不相吻合，音响不良，同时音纹也会被已损的针头伤害，音质劣化，噪声增大。对我辈爱唱片如性命又买不起多少新片子的乐迷来说，最关心的是尽量延长唱片的寿命，所以并不在乎唱针的消耗。市面上的唱针牌子多，多数是不堪用的货色。我宁肯去买价钱较贵的"歌林"牌金色唱针。后来出现一种"长命针"，用合金制的，质硬耐磨。每一根可连续放好多张片子，我也买来用过，后来忽然省悟：针虽"长命"，可省换针之烦，但唱针与唱片是相互磨削的，针硬则片更易伤，片子也就短命了，于是停用。买了新片子，每放一遍我就在片套上做个记录，唱五遍画一个"正"字。随你怎样爱惜，唱过百遍，也就声音发毛了。但越是心爱的片子越忍不住要多听，忍不住多听又舍不得多听，促使我养成了习惯，绝不随便放唱片，三心二意地听。

每听当代翻录往昔名手演奏的历史名盘，例如埃尔曼拉老柴的小提琴协奏曲，那哗哗如下大雨的噪声虽令人扫兴，却也把我带回到旧时情境。老唱片最可厌的就是这种噪声，它是所谓"针音"，是钢针在快转粗纹片上"车削"出来的，钢针就像车床上的车刀。片子听得越旧，"针音"越大。

为了减少唱针对唱片的磨损，一度出现过"竹针"或"棘针"。我一见大喜，抱着满腔希望买回来立刻就试，结果是一场空欢喜。它的针尖是切割成三角形的，放在音纹中无法适应那随着声波强弱而时粗时细弯弯曲曲的变化，若即若离，像电器中的"接触不良"一样。管弦乐的片子简直唱不成声。勉强可以用它来听的只是小提琴片子。我只用它来唱一张《加沃特》，无伴奏的，西盖蒂拉的巴赫之作。此种商品还配上一把夹剪，让你唱过一遍轧一下，保持针头的尖锐如新，这其实也是骗骗人的。

日积月累，用过的钢针有沉沉的一大包，别无用处，只能说明我的乐瘾越来越大。可叹者片子也由新变旧了。有时实在熬不住，便再去买一两张新片子来听。例如《牧神午后前奏曲》《自新大陆交响曲》《未完成交响曲》，我都买过两次。并不是为了版本，只是要再品尝一下未遭磨损的音质而已。既想买声音未损的老曲子，又想见识更多的未曾相识却已渴慕其名的新片子，鱼与熊掌岂可兼得！

以上把老式音响器材的缺陷讲了一大堆，但私心却是对它满怀感激之情的。局促于内地小城，什么音乐会也听不到。主要是靠了一架蹩脚手摇唱机，我才接受了古典音乐的启蒙教育，零零星星地接触了一批经典名作，对贝多芬、舒伯特、肖邦、柏辽兹、德沃夏克等乐史中的灿烂诸神有了粗浅的印象。

有一些不朽之作在我心里铭刻下永不磨灭的震动，那都是从小小的手提唱机上获得的。对一部作品的这种初始印象往往是无可取代极其珍贵的。每当我重听自己最嗜爱的作品时，常常会再一次体验到当年的第一次感受，第一次震动；每逢有此种甜蜜的体验，我就想到简陋贫乏的可怜的手提唱机，想到那位自己失聪、听不见音乐，但却为我辈老乐迷造无穷耳福的发明家爱迪生，还有柏林纳尔等众多的革新创作者，对他们感恩不尽！

辉煌雄辩的大复调

—— 喜读《西方文明中的音乐》

凡自己觉得知识不足而有饥渴感者，总喜欢找那又大又厚的书来啃。新近问世的《西方文明中的音乐》全译本，十六开大本，七百页，五斤来重（我忍不住拿到秤上去称了一下），沉甸甸的，令人惊喜，这下子还愁吃不饱？

它的分量、营养、滋味，早在十年之前我已经有所领略，但读到的只是后半部的节译本（改题《十九世纪西方音乐文化史》），盼到如今才得窥全豹，如何能不兴奋！

爱乐的同好们不必在它面前畏缩。著者保罗·亨利·朗自云，写书时他心目中的读者正是爱乐的人。当然，他指的是这样的爱乐人，真诚追求对严肃音乐的审美享受，同时又对音乐文化抱有求知的热忱。十年来翻来覆去把它的后半部读得快要散架，有"到此始知天地宽"（宋人王安石对长江入海处壮观景色的咏叹，编者按，原诗为"始觉今朝眼界开"）之感的，首先便是在求知上的眼界大开。

起初，自己也因爱乐而求知，而耽读乐史。但是狭隘得很，唯知有乐，不知其他。比如对某个作曲家感兴趣，只知就人论人，就曲听曲，并不去管那与其人其乐直接、间接联系的千丝万缕。

朗这部乐文化的"大历史"不但把代表人物的殊相和共相编织在一起，而且把乐艺跟别的文化艺术捏成一团，分析之，描述之，综合而观之，让乐史之流汇入西方文明主潮之中，而呈现它独具的色相。他以那种百科全书派中通人的通识、通感来打通我们狭隘的脑筋，让我们在思索、感受的当中尝到了贯通的愉悦。于是，"诗中有画""画中有乐""诗乐相通"等等复杂微妙的现象也可以循着更清楚的线索去深入探访，读乐时我们的感受与思维更丰富更加生动活泼，无须把自己拘囚于自给自足的小天地里坐井观天了。

宏大的史观通过雄辩的史笔，展开汪洋恣肆的描叙，夹着精彩异常的议论，令人为之心醉！要从这部像米开朗琪罗的西斯廷教堂天顶画一般繁富的巨册里采撷几例，竟难以抉择，下不得手，眩心骇目的篇章太拥挤了。何况那文章里充满了动力，像夏圭的《长江万里图》，又如贝多芬的音乐逻辑，难以拆零欣赏。

姑且随手选一些。第十五章中有一节《文学中的古典主义——浪漫主义及其在音乐中的对应》，他描叙了文学方面的古典与浪漫的交替，有时又相互对立、渗透。"（文学方面）古典主义到达顶点的时候，浪漫主义才刚刚开始，华兹华斯和柯尔律治[1]的叙事诗出现于1798年，而蒂克和瓦肯罗德尔发表他们早期作品之际，正值海顿的创作登峰造极之时……古典主义有如一盏不可或缺的逻辑的灯塔屹立着，既指引18世纪航开去的船只，又指引19世纪航进来的船只……它们在航行中擦肩而过，互相招呼，在灯塔的庇护之下乘风破浪。在两艘船互打招呼的当儿，古典主义抵达顶点，代表就是歌德和贝多芬。"

又如第十三章，在以简洁明快的笔墨勾勒出18世纪思想、文化动向的画面上，他捧出了一轮红日。也是所有乐人心田中鲜花供养的红太阳，那便是莫扎特。虽然是一篇词藻绚烂的《太阳颂》，行文之美，叫人不禁又想起了波提切利的《维纳斯的诞生》！然而并非只有美文，而是句句言之有物，言之有理，文中喷溢出不可遏止的激情。支离破碎节引几句就太可惜了，请翻到三百八十一页畅赏一下吧！

第十八章可谓别开生面，他为勃拉姆斯、比才、威尔第这三个乐风与人格都迥不相似，但又都是和瓦格纳并世而不同调者写了篇合传。这一首"三重奏"同前一章中所论的瓦格纳又构成了对位与交响。这一章，画龙点睛，题为《反潮流》，反

1　Samuel Coleridge，现在通常译为柯勒律治。

的便是瓦格纳那一帮。

读他对勃拉姆斯的分析评论就像他在环绕着一座雕塑作面面观，然而并不停留于皮相的观察，他又是手执柳叶刀，刀下不留情的解剖学教授，他解剖、诊断了这位大师的双重人格症：古典其貌，浪漫其心。"他的心灵是患病的……他的病是浪漫主义的病。""他的艺术像是成熟的果子……谁想到甜桃会有苦核呢？""他的心灵充满暗伤，疤痕累累……敏感性使他的人生成了哈姆雷特的人生。"

我深信，它的确是为我辈知识贫血的凡夫写的书，虽然写得不同于科普兰，也不同于伯恩斯坦。它不但让你痛感到自己对文化、艺术天地之浩瀚濒洞就像蓬间小雀那样无知，更在邀请你跟他向着无涯之境作逍遥游。他用一百三十页的篇幅写了巴洛克，做小结时又大发感慨道："巴洛克音乐的宝库可以说根本未经开发"，断言："这一事实不仅使我们享受不到伟大的艺术，也是造成今天的音乐处境可悲的一个直接原因。"说得何其严重！能不令深喜巴洛克（虽然太无知）而又惶惑于20世纪"新声"者悚然而有所思！

朗的求知之情炽热得叫人感动。当其在布达佩斯学习时，教他作曲的是科达伊。受到老师和巴托克的鼓动，又赴德国攻读音乐学、比较文学，再转巴黎学了四年的文学。原已掌握了大管演奏的他，此际还在乐队中吹大管而且干过指挥，所以他并不只是个大学者，也是个实践音乐家。但还是不知足，学者资格已经拿到手，为求深造又去了北美康耐尔大学[1]！

半个多世纪之前，一鸣惊人成为音乐学一座丰碑的《西方文明中的音乐》写到斯克里亚宾便戛然而止。五十六年后重印，一字未添。为重印此书，指挥家、音乐学者伦纳德·伯恩斯坦写了篇序。他说，读此书，人们会被朗那真挚的爱乐深情打动，也叫你处处感到是一位乐人之手在写作，尽管书中不见一条谱例，更无教材腔的分析。

此言不虚！真的就像在听一部大曲，一部诸种艺术文化发生、发展的多声部大复调，听到它们的交织进行，感到它们的共振，听到文明演化基础动力的强大低音部，也感受到那微妙的泛音。

伯恩斯坦还说，这书并不只是叫人反顾乐史之既往，同时也会促人深思音乐之未来。

这倒奇了！不是颇有论者认为此书已经过时吗？其实，朗氏 1991 年才辞世，也并非没有增订续写的时间。

那么，不论是流连于已进入乐史的音乐的，还是厌闻老调、渴慕新声的，抑或悬念音乐及其姐妹们"你往何处去"的，都捧起这本像管弦乐总谱的巨作来读下去，倾听、感受、享受其中的辉煌雄辩的"大复调"吧，只要你是对音乐想了解得更广更深更真，并且除了乐艺还对其他文化也有嗜好，兼有读史癖的话。

1　Cornell University，现在通常译为康奈尔大学。

闲话《格罗夫》

当此新旧世纪交替之际,《新格罗夫》出了新版。对于我这个老朽乐迷来说是件大事。兴奋,而又不免惆怅。

《新格罗夫》的全称是《新格罗夫音乐与音乐家词典》(*The New Grove Dictionary of Music and Musicians*)。它的前身我姑且叫它"老格罗夫",开始出第一版第一卷还在1878年。那一年,勃拉姆斯写了《D大调小提琴协奏曲》。前一年,爱迪生发明了留声机;后一年,易卜生发表了《娜拉》。所以那个"老"字是不假的。"老格罗夫"第一版原只想分两卷出,结果出了四卷。从1878年到1954年,一版又一版地出下去,第五版增加到九卷。1980年戴上了"新"冠,一下子胀成二十大卷。如今这部新版,卷数又增加到二十九。全书二万七千七百四十二页,总计二千五百万言,共收全球各地六千多位撰稿人编写的词条两万九千多,算得上洋洋大观了!

这样一部权威的专业词书，又何须区区槛外人来帮忙吹嘘，只是我同《格罗夫》像是有点小缘分的，忍不住要来闲话几句。早在粗知乐味的 1940 年我便在睡梦中寻觅它了。那时听了天书一般的《月光曲》，也迷上了钢琴。没福气弹弄，却总想把那神奇的乐器了解一番。有一本《牛津乐友》上有简介提示道："有关钢琴之事，《格罗夫》中说得最详尽。"这才晓得有这样一部好书。只要有机会去上海，我必到旧书店搜寻，始终渺然！一晃几年过去，1949 年夏天渡江南下途经姑苏城，忙里偷闲跑到拙政园，心不在景，而在人与书。穿过赤栏桥，进了一座水榭。那正是社教学院的图书室，四壁图书满架，多年来念兹在兹的《格罗夫》赫然在焉！惊喜之情随即化为惆怅，抽出一卷来草草地翻了一下便放回原处，哪有时间坐在这"藕香榭"里细翻细读呢！自此一别，竟是三十多年，这才拥有了一部《新格罗夫》。虽是影印的，也觉得是"下真迹一等"了。二十大卷摆上书架，一字排开，气势之大，顿使蓬荜生辉。每日里即便没空翻阅，望它几眼心情也为之一爽。

仅仅用它来做查阅的工具书是亏待这座宝山了，我要读它才过瘾！要读的条目当然有"钢琴"，那是几十年的悬念，但首先翻出来细读的是"贝多芬"。从前，傅雷译的罗曼·罗兰《贝多芬传》只不过是万把字的一篇文章，《新格罗夫》中这一条是它的七八倍。一读再读之不已，索性自己翻着英文字典来译它一遍，这是为了帮助理解和记忆。

我一头钻进了宝山中尽情涉猎，不管是作曲家、演奏家、乐史、乐器、乐理……无所不读，这二十年来总共读过若干条目，没统计。从头到尾通读，无此野心，只是常有个念头提醒自己：为日无多了，尽可能多读几条，不亏负它才是！

不想如今它又出了第二版，其中新增条目便有九千多。花四千八百五十美元再买一部吗？即使我有更多的金子，我能换到读它的光阴？

还真是有缘，而且缘分不浅，新版同时出了网版。于是我很快就读到了它的一些新条目，但仅尝一脔，难窥全豹。友人饷我以《纽约书评》上的一篇书评，又多少弥补了这缺憾。此文精彩。一读之下不能自休。作者查尔斯·罗森，早在二十年前上一版问世之年就评过它，词锋犀利，逼得主编塞迪不得不声辩几句。

罗森何许人？前一版上便有介绍他的一则条目。看了才知，此公是有资格来评介《格罗夫》的。不仅是位资深的学者而已，且又是文武双全的钢琴名手。贝多芬暮年之作，五首钢琴奏鸣曲，是他的拿手戏。其中的"作品106"，最为艰深难啃，他有独到的演绎。

这回对新版的评论，他有褒有贬。据他看来，修订过的"贝多芬"，尤其是最后一节"身后深远影响"十分精彩，我便放下别的先读此节，一口气读完。

神化——圣化——人化——人的深化。我从中读出了这样一条脉络。"贝学"深化，神灭而人显，但乐圣的光辉却越发耀眼了。20世纪中，乐人纷纷弃旧图新。新声嘈杂，陆离光怪。然而就是最"唯新"的急先锋也不讳言自己从贝多芬汲取的营养，尤其是受他晚期之作的启示。从勋伯格、巴托克的弦乐四重奏中，人们不难呼吸到这种消息。那篇佶屈聱牙的《大赋格》（徐迟听了一辈子音乐，坠楼之前还惦记着要好生再听听这一首），斯特拉文斯基说"那是最摩登的，也是永远摩登的"。最反偶像、反传统的布列兹，他的钢琴奏鸣曲中也可看出"作品106"的影响。

科学消解了"神学"，实证取代了神话。《贝多芬书信集》七卷，《贝多芬笔谈册》十二册（现已出十册），《贝多芬创作笔记本全集》等研究资料的出版，都是"贝学"昌盛的证明。

"身后深远影响"中提到了这个世纪以来政治同贝多芬的苦苦纠缠。普法之战，铁血宰相在下动员令之前，是以大演贝多芬作品为前奏来铺垫的。纳粹上台后，"贝作"所受的玷污更是令人痛心疾首。希魔毕命之日，"贝作"还被用来为其送葬安魂。但是，和一战时的沙文主义歇斯底里（英国一度停演"贝作"）有所不同。二战中，贝多芬的音乐鼓舞着反法西斯阵营的亿万斯民。《命运》主题节奏化形为争取胜利的一种信号。世人记忆犹新的一例：柏林墙轰然崩坍，《欢乐颂》（改题为《自由颂》）响彻云天。

贝多芬条目"身后深远影响"撰稿者感叹道：真难以想象

会有那一天，贝多芬音乐的神奇生命力会消亡。假定那一天真的到来了，西方世界怕也就进入了另一个年龄吧！

这是由衷的感叹，不由得不令人沉思、悬念！但与此分拆不开的还有更沉重的惶惑。

有一篇文章是回顾《格罗夫》世界怎样不断膨胀的。作者安德鲁·波特告诉我们，新版共收入 20 世纪作曲家条目五千，而前一版是三千。二十年前，也便是前一版行将问世之际，波特曾向主编塞迪提问："《新格罗夫》中是否为'女性与音乐'设立了一个条目？"

塞迪反问道："难不成也要写一条'红发人与音乐'吗？"波特提出的那个条目，在如今的新版中出现了，而且用了二十三页的篇幅。这除了现实的需要之外，是否还为了对女权主义的照顾？

更出人意表的是，自"老格罗夫"出第一版以来，这一部音乐词书中头一次有了个"音乐"专条，大概是解释何谓音乐的。由于我还没读到，故曰"大概是"，却也从来不曾想到过这是一个需要查阅、思索的问题。

《格罗夫》一版又一版，其中条目不断地吐故纳新。奠基人乔治·格罗夫亲自动手精心撰写的"贝多芬""门德尔松""舒伯特"等长条，"合唱交响曲""田园交响曲""哈利路亚"等短条，都换掉了。留下来的只剩了他为第一版写的那篇序。虽然还不到两页，也可以为这位本行是土木工程师，设计

监造了许多灯塔、铁路的人做个纪念。我倒觉得他更是一位
"普乐"的工程师。

宇宙膨胀，信息爆炸。可惊可叹的是，信息自身又在急剧
地转化为陈迹。

查尔斯·罗森这篇评介一开头却唱着一种苍凉的调子。他
借法兰西文人诺德牙的话说：塞纳河边，旧书摊延伸几里长，
狼藉着一堆又一堆的书，任凭它日晒风吹，少人过问，而大都
是上市并不久的新作。他叹惜书摊成为一片文化坟场。

罗森从四卷本的"老格罗夫"想到二十九大本的新版
《新格罗夫》，悚然一阵寒心：古往今来，成千上万乐人们一批
批走进乐史、词典。许多人早已、不少人眼看也难免变作徒
供人们查阅的资料，也可能干脆被抛到脑后，历史把他们遗
忘了。

新版《新格罗夫》为了紧跟时代信息，把一切时新的乐人
乐事一网搜罗。而在罗森看来，其中有些肯定是没指望站稳脚
跟的呢。

一双复杂的存在（编译）

—— 维努斯谈李斯特与勃拉姆斯

【编译者言】

维努斯在其《协奏曲》一书中，对浪漫派的议论颇有不少十分辛辣的话。然而我以为，对于偏嗜此类音乐者也许倒有一种提神醒脑的作用。同样引起我的兴趣的是他们谈到的两位大师，一个是道地的浪漫派，一个是不愿做浪漫派而实际上摆脱不了，那便是李斯特与勃拉姆斯。这两个"道不同"，格格不入，然而都复杂，复杂得很是深刻微妙。这便又使其有了某种有趣的共同点。当我们倾听其作品之际，不联系这些背景来"助读"，也便损失了许多"和声"与"复调"，岂非太可惜了吗？

一、维努斯谈李斯特与《降 E 大调钢琴协奏曲》

李斯特是一位多重人格者，有的时候竟堕落到去迎合庸众的口味，像个江湖艺人。

他是天才人物，时而又成了艺术骗子。

在其钢琴作品中有不可救药的陈词滥调。有的乐曲中塞满了无聊的东西，把它弄成了极其琐屑的毫无价值的货色。

但是比起同时代其他乐人来，他视野更广阔，文化上也更广博全面。政治、经济、社会问题，他无不关心，热切地注视。

看看那出现于他作品中的人名便知道了：但丁、歌德、赫德尔、莱瑙、海涅、托尔斯泰、雨果、席勒、圣佩夫……

海涅谈到，他这人对于思辨哲学有很大的胃口。在他那挑动听众心弦的风暴般的即兴演奏中，海涅感觉到了这个宁静不下来的头脑总是在自寻烦恼，关怀人类文化的一切需要，把自己的鼻子探向上帝正在酿造着未来的罐子。

李斯特以一个圣西门主义信徒的身份关怀社会开始，却又以"李斯特神父"的身份了其一生。

对他那部《降E大调钢琴协奏曲》，汉斯力克讥之为"用管弦乐来演奏的多尼采蒂歌剧"。这位音乐评论家对于此曲中用了三角铁也不以为然，大加嘲弄。

李斯特对后面这一点有解释：它可能会叫人讨厌，假如敲得太响和不恰当的话。

同时他又反嘲，批评了那些把打击乐视为粗俗之器，把重用它们的人视为下等人的保守者。他们想显得自己是严肃的、纯正的，因而不肯用之于交响曲。贝多芬居然把大鼓、三角铁也用在《第九交响曲》里，他们内心里也觉得可叹。

至于柏辽兹、瓦格纳，还有鄙人，我们正是被视为下等人的。物以类聚，我们很自然地也都喜欢同这类不登大雅之堂的乐器打交道。

【编译者言】

正像鲁迅说过的，给对手加坏名戴帽子，是一种打击异己的手法。没想到这并非中国所独有。"三角铁协奏曲"，如今听上去并不难听。当初却是汉斯力克给取的外号，显然不怀好意。但从此也便叫开了。

写了一本《论音乐美学》的这位学者，打着拥护勃拉姆斯的大旗，大反瓦格纳派。双方都派性十足。他这一派在维也纳气焰熏天，硬是将李斯特此作变成了演奏家不敢碰的用品。自从1857年在该处演出挨骂，有十二年之久再也听不到。直至1869年，女钢琴家索非·门特想公开演奏此作，安东·鲁宾斯坦仍然劝阻，二十岁的她没听他的，这才冲破了那种禁制。

就在她这回演出的前两年（1867），纽约已经演出过。汉斯力克的霸气扩张不到大洋彼岸。

"三角铁协奏曲"的真正首演比维也纳那次更早两年。那是乐史上一次盛事。李斯特在魏玛举办了为标题音乐大师鼓吹的"柏辽兹周"。所演的全是《幻想交响曲》作者的作品，只除了这一首协奏曲。

那可真是令后人不胜向往的演出！乐队指挥者是贵宾柏辽兹，而独奏者就是我们的"钢琴大王"！遗憾呵，唱片为什么姗姗来迟！

李斯特多面，但维努斯把负面说得那么不客气，你如果听不进去，那么我劝你读读亨利·保罗·朗的大著《西方文明中的音乐》（中文节译本叫《十九世纪西方音乐文化史》），那书里有评李斯特的一节。很难说他是否有偏爱。但我们可以带着问题去深读自己不喜或不理解的作品。

《降E大调钢琴协奏曲》像个"花一般的梦"（20世纪40年代陈歌辛有一首歌曲作品，以此为题），该不会有何费解之处吧？想不到其中也隐去了作者的内心独白。据说，此曲的第一支主题，李斯特曾为之填了"潜台词"。对原话有两种猜测，但无论是哪一种，都包含着"听得懂吗"的意思。

对于那些为他的作品与演奏颠倒似傻如狂的听众，这并不是很有礼貌的。这又叫人联想起他何以那么欣赏那个梅菲斯特的主题了。

二、维努斯谈勃拉姆斯及其《d小调钢琴协奏曲》

浪漫派人的协奏曲，构思比古典派浓缩，又善于利用宏大的音乐厅造气氛、出效果。可惜的是不免流于浮夸，还形成了一种总爱表现忧伤和狂想的套套。

舒曼对这种习气是有疑虑的，而勃拉姆斯更以向古典主义的回归去克服这种流行病。于是，在浪漫主义之风劲吹之时，忽又出现了复古的反潮流。

将古典和浪漫加以调和折中，舒曼虽已作出了努力，不过实践的结果（例如他那首大提琴协奏曲），显得不那么得心应手。他期待着一位力挽颓风的弥赛亚，而这位救世主必须是有胆也有才的。他便是勃拉姆斯。

《d小调钢琴协奏曲》原本是作为一部交响曲来处理的。1854年已写成了三个乐章，第一乐章已配了器。有趣者，作曲家第二年在一封致克拉拉的信中谈到：自己在睡梦之中又将这部不走运的交响曲改成了协奏曲，而且还弹奏了。

（随后它被改成了双钢琴奏鸣曲，最后才定型为协奏曲。）

初次演出是一场大失败，那些已被过量的门德尔松作品喂得口味失调的莱比锡人觉得，这是一首在整整三刻钟的时间里，费劲地仿借前人和极力挣扎的作品，干巴巴没味道得无可救药，注定要被埋葬。

勃拉姆斯写信告诉约阿希姆：仅有三双手迟疑的（待要鼓掌），而同时嘘声四起。……失败对我毫无影响，我还是要走我自己的路。

《大提琴与小提琴二重协奏曲》这部作品，就连为他写传记的人也认为是最难接近，也最郁郁寡欢。

勃拉姆斯即便同知心朋友谈起自己的新作，也总是用一

种不满意而且自嘲的口气来评价。但他并非信口说说的。对
"双协奏曲"亦复如此：古怪的想头。一首愚笨的作品。

自己有没有能力写这种体裁，他也有怀疑。给克拉拉的信
中便提到：也许本应让那些对这两种乐器都很内行的人去写
的。可惜约阿希姆已经搁笔了！

他同李斯特见过面，是他去访问李斯特的。对这位年轻人
（他年轻二十二岁），后者一如平素那么蔼然可亲地欢迎。李斯
特已经读过一些他的作品，对其深为赞许，并且也为勃拉姆斯
弹奏自己的作品。一曲方终，回头看看，来客已经入梦。旅途
疲劳，可以解释这种失礼的原因，但也可见两位大师是道不同
不相为谋了。

19 世纪的音乐激流滚滚向前，被激流载着的勃拉姆斯，
犹如一个对沿途景物不感兴趣的孤高的旅人。他这人，敬之者
奉之如神，不耐烦的听众把他看作一个陈腐的认错了时代的大
胡子。

他又像一位并无未来可以预言的先知，徒有辉煌的往昔可
供崇仰。到了暮年，他更加感到莫扎特、贝多芬比自己高明。
这并不仅仅是自谦，而是他的确冷静，有自知之明。

【编译者言】

李斯特有其内在的矛盾。勃拉姆斯同样如此，但又有人与
时的矛盾。两人都是反射 19 世纪音乐复杂相的镜子。

　　勃拉姆斯的矛盾，也许那要害就是：古典面孔，浪漫心肠。要知此中的复杂性，也劝大家去读前文中提到的朗的那本书。在"反潮流"那一章里，他那把解剖刀真是锋利！

　　按朗的诊断，勃拉姆斯也是患了浪漫主义的病症，便去乞灵于古典的技巧操作。但这样做并不能克服浪漫主义的危机。

　　"三B"是汉斯·比洛的发明。他把勃拉姆斯抬上了圣座，同巴赫、贝多芬供在一起。

　　朗的批评毫不含糊：不论从历史还是美学观点来说，这个概念都非常荒唐可笑。

　　勃拉姆斯奉贝多芬为楷模，但朗认为：贝多芬向前看，热心于征服。同样是一条河流，勃拉姆斯是向后倒流的，而贝多芬则朝前涌流。

　　有趣的是，"三B"的发明者当初对于舒曼从勃拉姆斯身上发现了音乐从浪漫主义额风中得救的曙光，大不以为然。比洛告诉老丈人这事时表示：这种话丝毫也不曾干扰了我呼呼大睡。十五年前，舒曼不是也曾将贝纳特封为天才吗！（按，贝纳特 W. S. Bennett，深受门德尔松影响，是个二流水平的英国作曲家，虽然名登乐史，今天却似乎听不到他的作品了。）

　　师友的期待，信徒的颂赞，显然不仅有压力，而且带来负作用。有个善意的评论者表示，但愿他能早一点从狂热过了度的朋友中解脱出来吧！

　　那么，有志气但也有自知之明，又承受着重大压力，像个"过河卒子"似的，勃拉姆斯在创作上的极度持重、刻意求精，常常不惜自毁已成之稿，十年磨一剑（《第一交响曲》是好例子）……都完全可以理解其绝非偶然了。

《d小调钢琴协奏曲》正是在为了不负师恩与众望，定要搞出一部有重量的交响曲的沉重压力下磨琢出来的。虽然已经向舒曼报告过了："写了首交响曲……"可是此后又改了主意，告诉约阿希姆："你是戴了玫瑰色眼镜看我那首交响曲了，我还得全部重写，问题不少！"

交响曲改成了双钢琴奏鸣曲。克拉拉弹了两次还想再弹。作者自己却觉得还是有问题，然而问题何在他又心中无数。一位叫格列姆的友人，同克拉拉一起弹过这首奏鸣曲的，出了个主意："它要求更为堂皇的形式，协奏曲正合适。"

双钢琴奏鸣曲的前两章变成了协奏曲的前两章。原来的第三章，在抽斗中睡了若干年，最后出现在《德语安魂曲》中。

这首协奏曲可说受够了折腾。但倒楣的事仍然在等着它。1859年1月22日在汉诺威首演，听众感到吃不消，专业者迷惑不解。莱比锡的那次演出不但挨够了嘘声，乐评家贬之为一首"用钢琴助奏的交响曲"，说它的独奏部分是白费气力徒然叫人讨厌，而乐队部分是在用一串又一串撕碎了的和弦来折磨听众，云云。

从听众反应中作者自己也相信它仍然存在着毛病。在写给约阿希姆的信中，他把这回演出称为"一次辉煌而又明显的失利"。"对于作曲家来说，这是再好不过了。这迫使他抖擞起精神来思索，也激发起他的勇气"。

　　虽然他告慰知交说，他当然仍将自行其是，但，"那嘘声也太大了，是不是？"

　　如此，新一稿又开始动笔了。

　　直等到两个世纪之交，这首作品才终于赢得了听众与专业者的理解，真可谓一部历经了艰难的艰深之作！

怎样把旋律线弹清楚（译文）

弹钢琴的人应该学会掌握"控声"和"平衡"的技巧，这可以大大有助于提高演奏效果。

"控声"（voicing）指的是对一组同时弹出来的音符做出强弱不同的控制。例如弹一个和弦中所包含的音或者弹一首赋格中的内声部。

"平衡"（balance）指的是在力度的处理上如何让旋律处于前景，而其他的声音退居背景的地位。但有些学生认为，旋律应该弹清楚而伴奏则用不着弹清楚，那又是不对的。为了纠正这一误解，我拿一些拍得很好的摄影作品给大家看。照片背景中的事物同前景一样清楚，虽然比较小。乐曲中作为背景的伴奏也应该同旋律一样清晰。弹奏者和听众在感觉上有距离，是造成弹奏不清晰的一个原因。弹的人自以为他弹得够清晰了，可是听众感觉怎样，他估计不足。这在弹一首大家不大熟悉的曲子时尤其如此。我要学生们弹奏时突出旋律声部，要比他原来设想的再突出一些；伴奏声部弹得轻柔，比他原来设想的再轻柔一点；如此一强调，往往能做到恰到好处。

我认为，控制、调节两手弹奏力度这个问题的重要性，钢琴老师再怎么强调也不会过分的。许多学生为什么左手弹得偏重呢，同钢琴本身的构造也有关系。因为钢琴低音区的琴槌与琴弦都比高音区的大而重，还有就是低音区的音，泛音更多，持续的时间也比较长，这就对高音区上的旋律声部产生了干扰，影响了清晰，弄得音响混浊。

如果旋律声部同伴奏靠得比较近，控制与调节的问题更加重要。因为音区靠近，音符不易分别，怎样突出那些最紧要的音符，免得听者去吃力地辨认，这是很要紧又很困难的。举一个例说，有时那旋律是用三度音程写的，假如将三度音程中的音程用同一力度弹，便会听不大分明。

世界各地生产的钢琴各式各样，它们的击弦机有细小的差异。然而有一点是一致的，即它们都遵循着物理学的同一法则。所以我向学生们说明：弹奏者心里怎么想，击弦机就怎么动作；击弦机怎么动作，钢琴就发出什么样的声音。

假如学生大脑里发出的信息是弹 *ff* 的声音，那么，只要他已懂得如何演奏，弹出来的便会是 *ff* 的声音。如果大脑发出的信息是右手弹 *f* 左手弹 *p*，那么也就会有同样结果。大脑将每一指令转化成了对身体有关部分的刺激与感觉。弹 *ff* 或弹 *pp*，其实也就是不同的感觉罢了。不同的触键动作会有不同的感觉与反馈，只要能做到大脑发出的指令和相应的感觉协调一致，弹奏就会是自如的，而且并不费劲。

显然，只要把旋律弹得比伴奏响就行了。但是要知道，发音的强弱是由击键的速度来决定的（译注：击键速度决定了琴槌敲击琴弦的速度）。也就是说，要旋律音响亮些，你就需要以更快的击键速度弹奏。但这同乐曲的速度是两回事。教师如用这种方式来解释，可能会把学生搞糊涂。我宁可采取另外的方法。我将旋律弹得很响，同时轻抚那些伴奏的琴键，并不弹出声音来。这叫做"虚声弹奏"（ghosting）。这样可以唤起学生的想象，摆脱困惑。

我再让学生自己轻轻摸键，把它小心地按到底，然后说出有何感觉。我期待他们从这种练习中感到"平稳到位"，或是键子沉到底时感到"硬梆梆"的，或是"软着陆"，等等。还有弹白键或黑键时的不同感觉。

当学生在按键中触动了击弦机里面的擒纵机（escapement）（译注：又被叫做 jack），感觉到它的作用而惊讶的时候，这也便是同他们讨论击键的实际功能的好机会了。我要让大家领会，要想弹得声音洪亮，关键是加快击键速度，而不是使劲敲打。

为了显示控制音量可以做出不同的层次，我反复弹奏同一个音，一次比一次轻，然后让大家也来这样做。

练习两手用不同力度弹奏，一开始我让学生心里想着那种轻重不同的感觉，用肥皂泡、羽毛、轻气球来比拟轻飘飘的感觉，以大象、三角大钢琴来诱导沉重的感觉。让他们右手用挥动手臂的大动作重弹，而左手只轻轻触摸低八度音，这样做对体会不同的感觉和不同的动作有帮助。

接着就单用左手在一系列音上进行"虚声"练习。也可以左手弹断奏，右手弹圆滑奏（legato）。做好这一练习的要领是不要使学生以为它难得很，其实真正做起来不过如此。

莫扎特的《娜内尔练习本》中有几个小曲子可以作"控声"练习的好材料。

我教学生单用右手弹得响一些，在第一小节中把音符弹得稍为断开一些，而第二小节要弹出连线的效果。然后，左手轻触伴奏声部，弹到标有连线处要做出规范的圆滑奏动作。于是双手合练，突出右手声部，左手只须轻轻地摸键，不要有声音，指法始终保持正确。最后，左手才把键子按下去，弹出伴奏。

可以打一个比方来帮助学习：想象着左手是在用手指轻轻触摸一串肥皂泡。一碰便破也没什么关系，再去碰别的泡泡就是了。

如此练了又练，学生便能够轻而易举地把这一曲弹得轻重得宜了。重要的是，必须始终注意保持两手力度适当，一出现失控，能立即发现而且纠正。认真反复练习，就会更加有把握。

要引起听者注意高声部中的旋律是比较容易的，但要把内声部或低音的旋律弹得清晰便有难度了。例如练习巴赫的《初级钢琴曲集》中这一段，学生应该左手弹出丰满响亮的音，同时右手只轻轻触键。然后先用"虚声"弹法练右手，再以柔美的 *p* 的力度重复这几小节。如此通过适当的反复练习，他们有了体验，一听出弹奏中有力度上处理不当之处，自然会注意纠正。

如何把内声部的旋律弹得清晰可听是比较麻烦的事。因为是要用同一只手去对付旋律与伴奏。我拿一幅马蒂斯的画给大家看，画中有橙子和红色的金鱼在水里游动。水透明而又可以感知。金鱼仿佛要从画里跳出来，而那水只是隐隐约约的。在被抑制的伴奏中突出旋律，有同样的效果。

门德尔松《无词歌集》中的《二重唱》，第六小节里，旋律夹在低音与高音伴奏之间，难点在于要用不同的手指动作去弹旋律与伴奏。可以让学生先练习只用拇指弹旋律，然后加用踏板，用手臂的动作做出响亮而圆滑的歌唱音来。然后，只靠手指（译注：即拇指以外的手指）的小动作弹那些十六分音符的伴奏。如果感到困难，就用"虚声"方法练习。

在把几个声部合起来时，要把注意力集中在那开头三个音，即旋律中的降 E 和伴奏中的 C 与降 E。反复弹奏，调控力度，逐次增加后面的音符。

为了使旋律线突出，特别是在练习创意曲和赋格的时候，可用圆滑奏弹旋律而用断奏弹伴奏，那么旋律线就明显了。学习巴赫《d小调创意曲》，可以让学生左手弹旋律，要弹得有表情；右手把每三音一组的十六分音符中头两个音弹出连线来，而第二与第三音之间稍为分开（译注：即用"非圆滑奏"弹，但又不同于断音）。左手旋律清晰，弹得像大提琴的味道一样，同时强调一下右手声部中的一、三拍，烘托出左手旋律的B、升C、D那三个音，以表达音乐构思中"增值"的手法。

旋律音处于一连串和弦的上端，这是常见的。弹奏时如果照一般和弦的弹法而不突出旋律音，听上去就会像是和声学习题一样无味。改变这种效果可以用不同的方法。最方便的一种是将手腕稍为转向旋律音，让弹那些音的手指站得稳实些，当然你不可使和弦滚动。

同是一个和弦，作不同的声音调控，听起来会有不同的效果。例如，一个根音位置的C大调三和弦，如果强调其中的C音，那么音响有温暖的感觉，但如强调G音，这个和弦便变得明亮起来。

柴科夫斯基的小曲《俄罗斯教堂》（作品39之24），旋律线中的音处于每一个和弦的顶端。为了让学生听清楚旋律，可以先用右手弹出和弦上端的那些音，同时以左手弹低声部底部的音。这在英格里·克拉列费尔德与苏珊娜·盖伊编的《神秘化传奇》中称之为"以二求一"。

熟悉了谱中音符之后，改为在桌板上继续如此练习，这样可免受声音以及其他不必要的干扰，以致分心，目的是体会重弹或轻弹时手指的不同感觉。

然后回到键盘上练习，把和弦上端的 E 音弹得响亮悦耳，而仅用轻微的断音奏法轻触 E 音下的 B。再按同样的方法步骤去练习左手的 E 和 G。等到控制能力达到一定程度，再用不同的力度弹和弦中的音。把一开头的和弦弹四遍，从最上面的 E 开始，接着是 B、G、E，每次强调一个音。这将是一种饶有兴味的练习。提高了调控能力之后，扩展和弦色彩的可能性也便更大了。

此曲第十小节右手弹的三和弦可以这样练习，如学生练习有困难，我的办法是分两次练习弹两个音的音程，先弹 G 和 D，再弹 G 和 B，然后三个音一起弹。

巴托克《献给孩子们》卷一之二十一首中有个令人喜爱的片段可以用来作较复杂的控声练习，虽然用它来练习如何处理和弦上端的旋律音也极好。弹奏其中九到十六小节和用以教学都是特别有趣的。可以想像这是一场吉普赛人的二重奏，小提琴拉的是那上面的旋律，而下面的是钢琴"崩啪"着伴奏，这对我们的练习很有帮助。我让一个学生充当"小提琴"，我充当伴奏。在奏九到十这两小节时，假如不注意调控的话，那么旋律会消失在第二个八分音符上。要是最末了的那个八分音符强调过分，它会变成旋律的一部分了。

我像练习上面说的《俄罗斯教堂》一例那样，让学生注意练习这里的力度调控。把 D 音强奏，而轻触 F 与 B，困难便消除了。

　　我的教学意图是让学生把旋律声部高唱起来，如果旋律处于内声部，则要像个大提琴的美声。正像学习钢琴演奏的其他方面一样，掌握"控声"和"平衡"，唯一的途径是多体验，好好倾听，要把人们已听惯的作品弹得有新的光彩，更加令人信服。

（本文原作者系加拿大钢琴教师彼得·扬科维奇【Peter Jancewicz】）

教我如何不想"它"

一

　　一见将要出《赵元任全集》的消息，大喜！随即是悬念和担心。担心什么？虽然据说这部全集中包括了光盘若干张，但是否有声？同别的人物不大一样，赵元任在我心目中是有声的，那"声"里头包含着"音"。假如文集不收他录下的国语留声片，不收他录的"倒读英文"，《石室诗士食狮史》《忆漪姨医疫》《记饥鸡集机脊》（注：请看赵新那、黄培云编的《赵元任年谱》），固然遗憾；我更担心的是《新诗歌集》，只是"哑巴黑豆芽"一大本，而最叫我担心的是它不收《教我如何不想他》的录音，或者虽然收了却并非作曲人亲口唱的。假如正如我最担心的那样，行年近八十，行将就"火"的我总盼着再体验一番几十年前被那张老片子激起的大惊喜，这一大愿也便落了空！

赵元任在其自叙中说过,他每一想起某个歌调,童年情景顿时再现。多少年来,每读《教我如何不想他》(本文以下以《教》代之),20世纪40年代无意中发现那张唱片时的种种总会蓦然浮上心来。我也极想追寻逝水再作流连,因为那是复杂微妙的史声,何止是个人的感受。可惜的是时光之水,水滴石穿,我如今的记忆已如经不起唱针磨刮的老唱片了。

我这个自以为好乐的槛外人,那时候同音乐殿堂高门槛之间的距离比今天更远是不消说得的了,但开始从只知有"洋"而恍然发现还有"中国气派"的问题,正多亏了《新诗歌集》的启蒙。1928年老商务初版的这本书,十六开本,又大又厚,沉甸甸的,其实不过六十六页,只收了大约十四首作品,厚是因为用的纸好。五线谱之外还附了简谱,也可见启蒙者的苦心,可惜简谱翻不出他谱的钢琴伴奏,而那既是伴奏也是无词歌。更见出他启蒙热心的是每一首作品都有题解,将写作的构思敞开交代,也不怕专家讥讽他多此一举。其实他哪里会好为人师,无非要与人沟通罢了。更可感激的是一篇万言长序。即便只抄几个小题看看——一、吟跟唱;二、诗跟歌;三、国乐跟西乐——也不难知其话题之实在,不仅是谈乐而已。

就从其乐与其文中,我得到的启示足够我受用到如今,不止是音乐知识,也是从文化通识上开了窍。

装订结实的《新诗歌集》,翻了又翻,成了"毛边本",《教》也哼得烂熟。但其中真味仍是似解不解。

方生未死的年头，人鬼杂居的小城边，荒芜的小园。阴森森的旧宅，书架上乱堆着一大叠旧唱片。主人同我年纪差不多，也戴一副眼镜，但是对音乐并不感兴趣，唱片上有未曾拂去的灰尘。一年之后他成了烈士，葬身于江流，"国特"下的毒手。

真没想到，就在那一堆唱片中挖出了我前所不知的宝贝！

把片子借回来，放在老式手摇唱机上，放了几遍，那第一印象就像是头一次听到一张没见其谱也没听人唱过的片子一样。怎么是这样的？有点怪气！咬字吐词是如此清楚，乍听之下竟疑他是否过火？行腔运气是那样的仿佛不用劲，也疑他是否太随意了？片子里唱出的歌声竟然显得陌生了！如不是已经把那本书中的序和注都烂熟于胸了，我也许会把这张片子当做票友的即兴演唱吧！

其实是耳濡目染了不自然的唱法，乍见真龙便做了个叶公。

对照他在《新诗歌集》中的自注再来琢磨才渐有所悟了："这个歌倒是对于'中西人士'都容易讨好的。里头的过门大半是'中国派'，歌调儿除'啊！燕子你说些什么话''枯树在冷风里摇，野火在暮色中烧'两句以外，其余的也都是'中国派'，而且'教我如何不想他'那句，头三次的唱法有点像西皮原板过门的末几字……"

他是那么恳切地教人要唱出中国味，同时也批评有些人把他的作品唱洋了，到老依然如此。

如今已然淡化，尚未磨灭，能追忆出来的还有：他是个男高音，但那音质有种京剧坤角须生的味道。不像有的洋嗓子男高音那样绷紧了弦，而是行若无事，放松极了，但又松得有内劲有弹性（须知，留美时他不但从师学钢琴、作曲，还上过声乐课）。不是音包着字，口中含个"橄榄"，但又不是戏曲唱法那么咬牙切齿，而是出之以自然，语言学者显出了本行的功夫。至于行腔，正如他自注中叮嘱的："唱这个歌的时候，第一要唱得婉转，有好多地方就是没有'╲'号的也不妨用一点滑音。"最引人注意，在我记忆里刻下了绝妙的 arabesque 的，就是那一唱三叹像西皮原板的"啊，教我如何不想他！"。

单单有音声之妙不见得会使我如此终生难忘，声情并茂才是魅力所在吧？歌中之情由谱曲者（词作者刘半农是他的知己）不瘟不火恰到好处。"信、达、雅"地现身说法作了诠释。

二

这样又将记忆联通到了新诗与新乐携手的话题上。

《新诗歌集》中，十四篇"新乐府"，歌词绝大部分都是早期白话诗。这也是我着迷的一大原因。当年谁个年轻人不迷上新诗，不光是读而且胡写乱作？我辈所迷的已经同"五四"一代的拉开了距离。《新诗歌集》将已为陈迹的"老新诗"注入了音乐性，化为"声诗"，对我起了温故知新的作用。

刘半农这首诗我原本有点隔膜，食而不知其味，读了赵元任的歌，才觉出了被乐意明朗化了的诗意。1927 年，在几次听了赵元任演唱《教》与《海韵》之后，朱自清赞道："因了赵先生这一唱，（原诗）在我们心里增加了某种价值，是无疑的。"在另一篇文字中朱自清又道："新诗的可唱，由赵先生的《新诗歌集》证明……赵先生的谱所给的音乐性也许比原诗所具有的多。"

这是"五四"人听"五四"人之诗与乐，何等珍贵的历史心声的"录音"！从后一段话中，我们不是既可思索老新诗不注意音乐性的问题也体会出作曲者的素养和用心？

我这个早已落伍的前新诗迷一直私心盼望中国艺术歌曲的兴盛，盼它助新诗一臂之力，让新诗乘歌之翼腾飞，家弦户诵，发扬古来中国诗乐有不解之缘的老传统。因此，《新诗歌集》万言长序中"诗跟歌"那一节我读得很有兴趣：

　　诗是诗，歌是歌……太坏的诗固然不能作顶好的歌，可是好歌未必是很好的诗，顶好的诗也未必容易唱成好歌……一首诗编成歌来唱，它的确得要受一种损失。在声调方面无论作曲者怎么想法子把工尺跟平仄配得好，但是唱歌总是定音多滑音少，不能像天然语调那样定音少滑音多……不能像用天然语调那么直接达意。在节律方面，歌调写得唱得无论怎么 rubato（引者注：弹性节奏），总是要有规则一点……这也是歌调没有语调自然的地方……可见得读诗有诗的味儿，唱歌有唱歌的味儿，而且不能同时并赏的。诗唱成歌，就得牺牲掉它的一部分的本味……于达意上总是有点损失，于表情上也有一种的损失，而同时于表情上可以另加上许多音乐性的帮助。同一首歌词，当歌唱的时候，光是词的方面所贡献的兴趣及不到当诗读的时候它所贡献的兴趣那么多，但是唱的时候又加上了好些音乐的兴趣，因而使听者所得的总共的美感可以增加，这才是歌唱的地位跟它的 raison d'etre（妙处）。

何其透彻、明白！不是一个对诗语和乐语都吃透了又那么热心为二者撮合的，能做到吗！（老本子《新诗歌集》早丢了，新中国成立后在旧书店中又淘到一册也化为劫灰了。这里引的是从《赵元任音乐作品全集》中抄的。）

照着他的话，将《教》的诗与乐先拆开来分而尝之，然后烩在一起咀嚼之，那是很有味道也帮助思考问题的。

今天将原题为《情歌》作于 1920 年的刘诗取出来诵读一下，很可能觉得稚嫩而忍俊不禁吧，但当刘诗赵乐结为一体唱着听着的时候，谁又会觉得它不像个诗？不妨注意一下，连那个在有的"诗"中朗诵起来叫人起鸡皮疙瘩的"啊"字也被作曲者处理得那么情真意切极为自然了。被音乐强化了的诗中境、味让你感觉到了后来人想摹拟也不可得的清、真。诗味、乐感融合于令我向往的"五四"风流的史感之中！

　　当年（1935 或 1936 年）录的这张"百代"唱片恐怕是知音不多，不大好销，要不然的话，百代公司何以后来又另出一张斯义桂灌的？我曾从上海四马路一家小唱片行里买到一张。不用钢琴伴奏，用了小乐队，还有钟声，效果不错，从此也长留在记忆中。至于唱法，就不免是洋的了。他是俄侨苏石林的高足。

　　后来每到旧唱片堆去淘古典名曲唱片，总希望忽然又遇上赵元任这张片子，可是缘悭之极，再难一面，也从没见别人提到它。

三

　　美国张凤《哈佛采微》中有记赵如兰一文，记了 1988 年在波士顿一次小集会上听到了《教》的录音，两种录音两种唱法。放第二种的时候，"唱者有点江南口音，软软明晰的吐字，刚唱出'天上飘着些微云'，听众就笑了起来，每唱一句大家又笑"。

　　赵如兰告诉大家："第二首是我父亲自己唱的……是一九三五年百代公司要他唱的。录音前他们对他说：'赵先生，这是一首情歌，请你唱得年轻一点儿……'唱完了回家来他跟我们说：'我特意给他们唱得甜甜的。'"

翻开《年谱》，好多处碰到《教》，常常是他自己唱它。可注意的是到了暮年他好像越发爱唱它了。1975 年 5 月 5 日在美国的清华同学聚餐会上，八十三岁的他唱了这首 1926 年的旧作。1980 年 5 月 3 日，仍在这种聚会中，他也唱了《教》，半个月之后在同一场合，又唱。次年，他第二次回国探亲，参观清华大学，又唱它。随即到上海，参观"上音"的时候，虽然自己没再唱《教》，但当一位女生演唱这首歌刚落最后一个音，他就快步上前同她握手说："你唱得很好，你这个'想'字不是外国派的向下滑，而是正确的中国派的唱法。"

如此钟爱这首老歌，想必也是因为它能带他重返旧时情境吧，当他每一次唱这首歌的时候，"教我如何不想他"的那个最后的代名词以及所代表的内容也可能是有变化的吧？

在《赵元任音乐作品全集》中，赵如兰为此歌作注："自从白话文兴起，有了他、她之分以后，于是注家对于这首歌中的'他'就有了好几种说法。一说是指男的他；一说是指女的她，而且就是某人；又一说是指祖国。"

有趣的是作曲者把这一句英译成了"How can I help but think of you"。赵如兰说："这不仅流露出了父亲时有的幽默感，而且可以看出，他是不愿意随便选用'Him'或'Her'的。"

俞玉滋《记著名语言学家、作曲家赵元任先生》一文中说，赵 1981 年回国时对此有个说法："可以理解为一首爱情歌曲，但'他'可以是男的'他'，也可以是女的'她'，也可以代表着一切心爱的他、她、它。"

那么我自问自忖：读此歌时，自己心中的那个代名词又是什么？

是"他"，是赵元任。我所向往的古今人物，有不少是读其书想见其为人，也想见其音容笑貌的，但那是凭想象，无实证；赵元任则在我心里有声有色，他夫人杨步伟在其绝妙好辞的自叙中对他的素描，配上了那张唱片里的音，于是声容并茂，不但是立体而且是全息的肖像了。

然而心中翻腾起伏的想头，又并非一个"他"字可以了得的。本文中提到的，欲说还休的种种，都和这首歌这张老片子交织在一起了，我便用一个"它"字来总括：教我如何不想"它"！

【附记】

"她"字从"他"中分裂出来，是"五四"的产儿，助产师就是刘半农。1920 年 6 月，他在英伦作《她字问题》主张另造这一个字。《教》作于那年四月，还来不及用上"她"字。直到次年（1921）2 月，刘诗《一个小农家的暮》中方用他、她分指农夫农妇。

下面这些例子，排在一起，极具（文化）史感：

1921 年 11 月，俞平伯的新诗《题在绍兴柯岩照的相片》中也出现了"她"。

1922 年 6 月，鲁迅新作小说《端午节》，1922 年 12 月，鲁迅为《呐喊》作的《自序》中，女性第三人称，一律用"伊"字，1923 年 12 月的演讲《娜拉走后怎样》，次年作为文章发表，其中有八个"她"字。

胡适有一篇《我们的双生日》作于《教》之后三个月。诗中说到夫人冬秀，也还用"他"字。1922 年《尝试集》增订四版，仍存其旧不改。

以上资料基本上抄的廖辅叔《论〈教我如何不想他〉的"他"字》一文。

回忆《教》这首歌时，我也免不了要想到这并非一个小小的字眼的问题。

青主岂可无传

历劫不死，年过八十，不知感激天恩，反而心中多憾；憾事之一是，许多我所向往的近现代风流人物，我以为很该有一部传记的，然而至今无有，只怕我今生看不到了。黎青主便是其中的一个。

自从20世纪40年代之初，我就记住了黎青主这名字，那是《我住长江头》（李之仪词）和《大江东去》（苏东坡词）两首艺术歌曲的作曲者。

当年我在爱乐上还只是初识之无，却也有一种幼稚而天真的敏感。对这风格迥异的两件作品，既深爱前一首的有中国气派而并不抄袭传统，对后一首借洋腔来传译苏词中史诗意境的神韵也大为惊喜。

跟踪青主这名字，随后又读到了他的德籍夫人华丽丝（Ellinor Valesby）为宋词谱写的歌曲。其中的《浪淘沙》（李后主词）我食而不知其味（当年赵元任的评语是"这个音乐是很好，可是太半音化，我怕一般中国人听了要说它难听"），不过也像读洋人译的唐诗一样觉得有趣。但是她为周邦彦《少年游》谱的音乐却叫人一读便觉得似乎"境界全出"——当然，那不过是一种浅薄无知的想当然。可是我确有实感，"李师师"的"低声问……"的口吻和情意，仿佛都被我窃听到了！这种古、今、中、外，文字加上音乐语言的综合，相异却又相通的效果之奇妙，叫我大开眼界。

然后，我又从一件乐坛掌故中感受到了青主的艺术家气质，20世纪30年代，有一种由艺文社出的《音乐杂志》。其实它就是上海国立音乐专科学校师生们办的。我于20世纪40年代从冷摊上买到了几期，如获至宝！因为有黄自、青主、萧友梅的文章。其中有青主痛斥易韦斋的妙文，其事其文把青主的才子脾气表露无遗。易韦斋是萧友梅的老搭挡。萧友梅写的歌曲，大多用他写的歌词。这位老文人对中国新音乐的普及是功不可没的，不过他对音乐却所知甚浅，一看到上文提到的华丽丝为李后主"帘外雨潺潺"谱写的音乐，大概也像我这个无知少年一样食而不知其味吧，而又倚老卖老，忘乎所以，竟然心痒手痒起来，也写了一首自度曲，并发表文章，说是要同华夫人"商榷"，因为她的那首"音律木谐"云云。他要"就正于"华夫人的那首曲子只有旋律，以简谱抄出，附于文中。当时的我看了觉得它未免太平淡无奇，毫无新意，还不如赵元任在《新诗歌曲集》中介绍的旧时中国民间吟诗调有味。

华丽丝没答他，但是青主（记得好像是代表她同时也代表自己）写了文章，把易氏痛驳了一顿，全不顾对方的面子（须知他们是音专的同事）。青主此文火气极大，大有"尔何知，还配来议论作曲"的气势，但那直言无忌的坦率，也叫人觉得痛快。

就凭这些，我心目中印下了一位可喜可敬的人物的影子。

几十年之后，读到他令弟廖辅叔回忆乃兄的几篇文字，才知青主并非真名。他之所以要变姓名以"亡命乐坛"，乃是因为他有一大段不寻常的经历。于是原来呼之欲出却有声无形的那个心影，忽然间便成了有声有色且配有大时代风云衬景的特写镜头。原名廖尚果的他，原来是个很不凡的人物，一位大有奇气的人物。且看几个历史镜头。

辛亥革命武昌首义炮声响，廖尚果（其时年方十八）和他在黄埔陆军小学的一伙同学少年，间关绕道来到汕头，冲进潮州府衙门。青主亲手毙了知府陈大人。

革命"成功"，以功臣的资格，公费出洋，留学德国。报名虽是学法律，实则更多时间是听哲学课，同时还学音乐。作曲、钢琴、小提琴他都学，此外还要玩长笛——是因为景慕历史中的腓德烈大王，大王爱弄长笛。

十年留德，取得法学博士头衔，回到中国南方，在孙中山大元帅府大理院做了个推事。

北伐大革命时代，他是黄埔军校和国民革命军政治部的一名秘书。在那大夜弥天山雨欲来的广州，他是激进而且狂热的左派。汪精卫给他戴上了一顶红帽子。"退军之一战"的"广州暴动"失败后，他成了反动派通缉的要犯。当他出现在上海音专校长萧友梅面前的时候，萧失口惊呼：你是人还是鬼？

从此，开始了"亡命乐坛"的乐艺生涯。萧校长本要邀他这个亡命客做教务主任的（后来担任此职的是从美国学成归国的黄自）。

廖辅叔说青主像瓦格纳。瓦氏不是也曾投身1948年德累斯顿的起义吗！而且瓦氏是个爱过豪侈生活的人。清苦的教授的冷板凳，青主也是坐不安稳的。几年过去，有熟人帮忙说情，把对他的通缉令撤消了。亡命生活也结束了。青主乃进了中德合资的欧亚航空公司，那就有比较优厚的收入了。萧友梅有一次登门拜访，见他正在打麻将。萧叹了口气，对别人说，青主完了！

这虽可见萧友梅律己之严，但对青主却未免言之过重了。

蔡仲德在《青主音乐美学思想述评》（见上海音乐出版社《音乐之道的探求》第三百七十页）一文中说，青主"前期是民主革命斗士，后期是诗人、音乐家与教育家……其革命活动颇具艺术气质，浪漫色彩，其艺术活动则富有创新精神，革命意义"。

读了这篇发表于1994年的重要学术论文，我回想起20世纪40年代读青主《乐话》茫然不解的旧事，有啼笑皆非之感。我自认是一名真诚的乐迷，然而对于乐学理论向来是不求甚解的。当年一见《乐话》是青主所著，便买来读。记得此书是用一种和他夫人谈话的口气写的。书中一声声唤着："马丹！"对她宣讲乐艺之道，文字毫无学术论文腔，似乎并不费解。有一段还颇有趣，他用自己手中的洋箫（当时有人把单簧管这样译）向"马丹"讲《老子》中"三十幅共一毂，以无为有之用"的哲学道理（大意是说乐器上的音孔，有时按，有时放，比喻"以无为有之用"）。虽已几十年再没看到《乐话》这本书，这一段至今犹记得。其实对《老子》的这段话我也并不能理解。可是一读到他讲音乐是"上界的语言"的部分，我是真的莫名其妙了。我误以为那是"神学"语言。以后再也没翻过这本《乐话》。

现在我倒很愿意把《乐话》从头到尾认真地读几遍，力求弄明白青主所提出的那些重大问题了。否则的话，做一个糊涂鬼去见贝多芬是难为情的。《乐话》已无法见到，所幸蔡仲德把其中的道理讲得很是透彻，他认为：青主关于"音乐是上界的语言"的论述是强调人的主观能动性……认为人在认识世界、改造世界的活动中建立了主观世界，而艺术就是这一主观世界的产物，这就突出了艺术的主体性；青主又强调音乐物质手段的特殊性，认为只有音乐能直接而充分地表现人的内心世界和感情生活，这就突出了音乐的主体性。"音乐是上界的语言"命题的意义就在于此。

廖辅叔的回忆文章醇醇有味，蔡仲德的论文掷地有声，对我有振聋发聩之效。读了更加叫我渴想早一点看到一部青主传，让我仔细端详这位合民主革命斗士、诗人、乐人于一身的奇士风采。

还加上一个不算奢望的希望，它应该是一本有声的书——作品录音是传中应有之义。假如你想听《我住长江头》，作兴还能从什么杂烩歌曲唱片中找到；如果要听那首当年萧友梅赞为大有李斯特之风的《大江东去》的话，恐怕就只好自己找一本薄得可怜的《五四时期歌曲选》来自己哼给自己听了。至于本文提到的《浪淘沙》《少年游》，以及本文没提到的青主和华丽丝的其他艺术歌曲，例如《易水的送别》《金缕衣》（当年赵元任一见便称赏是"他所见过的一首最好的中文复音合唱曲"，同时也不离语言学兼作曲家本行地提出了一点关于词曲配合上的建议），如此等等，那就更是踏破铁鞋无觅处了。

不过，既然前几年曾有人议论过一阵的中国近现代音乐史应该重新写过，而直到今天好像还不见有新著出来，那么以上所云大概也只会让它继续遗憾下去了。

自从年青时读到《我住长江头》和《大江东去》，知道青主这个名字后，直到而今，从未看见过他的一张照片。是高是矮，是胖是瘦，什么相貌，什么神气，一概不知，然而也从来不在心里去揣想。《青主传》没有照片不打紧，有录音片便够了。

【附记】

萧淑娴回忆她二叔萧友梅的《二十年代的萧友梅》一文中说，萧友梅最厌恶人们打麻将、打扑克。有一次他回家发现家里人正在雀战，他抓起一大把象牙竹牌便往火炉里扔，大声说："音乐家庭只能有音乐的声音、读书的声音，怎可以容许打牌的声音玷污音乐家庭的名声呢?！"可知他对青主打牌的摇头叹息已经是很宽大了。

诗人与通人

——重读徐迟两本乐话有感

　　网上求书，往往有意想不到的惊喜。近日求到两本书，渴望重读已六十年了。徐迟这两本书，都是 20 世纪 30 年代末出版的。一本是《乐曲与音乐家的故事》，一本是《世界之名音乐家》。都是小开本，都不到两百页。

　　当年我窥见了西方古典音乐这个新空间，然而苦于不得其门而入。王光祈的书，丰子恺的书，凡能买到借到的，都读了又读。忽然在老商务门市部发现这两本新书，虽然还嫌他谈得太少，不过瘾，却颇有新鲜感。王光祈的书只让我接收了一些枯燥的乐学知识，他像是在面向着专业读者授课。丰子恺虽然是为大众启艺术之蒙，也还是在台上做辅导报告。徐迟就不一样了，他是怀着一肚子的热忱，要把自己在乐园中所见所感，向朋友们倾吐，要同朋友们共享其美妙。于是我这个新乐迷便受到了强烈的感染。外加上他所谈的乐人乐事，也有不少是丰子恺的书里没收罗的。比方说当时自己正被《自新大陆交响曲》迷得如痴如醉，徐迟书里对德沃夏克的介绍正好解了渴，从此直至如今，德沃夏克的音乐便常驻我心中了。几十年来，每听到《自新大陆》的第二乐章，徐迟的介绍，特别是他所用来形容的一些画龙点睛的警语，总是会不期而然地跃上心来。

暮年越发怀念徐迟这两本书，还有另一个原故，也许更值得一说。

金克木《一九三六年春，杭州，新诗》（见《金克木小品》第十六页）一文中说："一九三六年，从春到夏，我在西湖边孤山脚下的俞楼住了大约一百天，译出了一本《通俗天文学》。戴望舒来杭，见我译天文学，大为惊异，写出一首《赠克木》，其实是'嘲克木'。我也写了一首《答望舒》，刊登在徐迟和路易士主编的《诗志》上。戴望舒看到我妄想逃出文学以及地球，他刚从上海来，很快就回去，竟像是专程前来把我从天上的科学拉回人间的文学的。经他这一拉扯，我虽仍旧完成了翻译，却也为他编的《新诗》写了几首不是情诗的'情诗'，总算是没让他白跑一趟。我在天堂终于待不住。夏天来时便被徐迟拉去南浔他家里，整天听他讲音乐和诗以及他设想的杂志，结果是他写出了两本讲音乐的书。"

人物妙，事情妙，像是在读《世说新语》。那两本音乐故事的背后原来还包含着如此高雅不可再得的故事！这也证实了我自己从他书中所得的感受，如果没有一种"普乐济众"的热忧，是写不出那样的文字的。

然而这又引起了一个费解或者说耐人寻思的问题。

金公，我三生无幸，不认识，但却是从心底里高山仰止的人。窃以为，如金公那样的学问见识，道德文章，可谓一位世上少有的通人了，不管他有没有什么文凭。因此不但自己嗜读其书，而且劝朋友们读。

我总以为像他那样博知博爱的通人，似乎也应该知乐爱乐的吧？然而不然，他写文章，上下古今，无所不谈，就连拳经、棋谱、八股文、武侠小说，也都读得津津然。唯独不见有谈音乐的。只有一篇天竺游记中出现了一下肖邦的名字，而那正是他用来说明自己对音乐无知的。

多年来，像打听失去踪迹的故人一般寻找徐迟这两本乐话，原不过是老乐迷的怀旧心情。自从得知了"南浔话乐"这段韵事，对前代某一时空中某一类文化人的交往又增加了向往，于是我更想重温这两本书了，期望有助于从想象中重建当年徐公说法，金公含笑倾听的情景。

不但如此，我还要补课，细看一直想看而未得的《江南小镇》。好容易才借到了，我一口气读了这部七百页的《未完成交响曲》。

不知何故，书中没有提到南浔话乐和写两本乐话的事，只说是由于金克木的建议，他写出了《歌剧素描》。

书中说：（1935年）"因施蛰存介绍，我跑到沙滩的一条胡同里，找到金克木，经过自我介绍互相认识……他住在一个小小的四合院里一间朝北的南房中，没有火炉……北京已经进入零度以下的冬天。他平素是在北京图书馆里过日子的。"

把这段话和前引的金克木的 1936 年回忆剪接在一起，便是一卷《访诗话乐图》了！

《雨巷》的作者一心要将《通俗天文学》的译者从太空拉回人间世。徐迟向后者大谈其乐，当然是同一用心了。徐迟后来再没有写什么"普乐"的书，却是参与了不少较之写书更来得实际的活动。他自己从中也获得了令我辈不胜其艳羡的艺术享受。抗日战争时期，他去了大后方，在重庆同马思聪结为知己，也成了中华交响乐团的有力的支持者。他几乎每天都穿过被敌机炸出的废墟到乐团去，挤在乐队中间，倾听他们排练《命运》《英雄》，乃至在当年是触耳惊心的《列宁格勒交响曲》！

更为辉煌的实践恐怕要算他参与策划举办的那次哀悼罗曼·罗兰的大会了。八十人的管弦乐队（想想那是什么时代、什么环境和条件！）庄严地演奏了《英雄交响曲》。完整地、一丝不苟地演奏，与会者肃静倾听，秩序井然。这一场演奏的本身便是伟大时代的"史声"！

既然《江南小镇》没有后半部，那就只能从纪念文集《难忘徐迟》里去寻找他后来的足迹与心迹了。然而很难，只能作些"猜想"。

他为自己取的洋名是"Andante"。这是个音乐名词，通译为"行板"。爱乐的徐迟想来是借用这个表示乐曲速度（同时也说明某种情调）的语词来自喻其处世的基本风度吧？但是读《江南小镇》，越是读到后面，便越是觉得这个速度词名不副实，他似乎该换个洋名，叫 Allegretto（小快板），甚至 Allegro（快板）才对。天地玄黄，世变加剧，既然已心甘情愿地参加了新时代的"普天颂赞"，保持"行板"速度当然就会个合拍也不谐和了。

从前，他和另一位诗人都要拉金克木回到人间世。后来，他的严师益友老乔却认为他"有些怪，似乎没有生活在这个世界里，我们应当把他拉回到现实生活里来……"。这两种"拉回"何其相似而又不相同！

尽管埋头啃《资本论》，尽管自己下决心"奥伏赫变"，有时他还是离开了现实世界。在香港，有一次因为他那么热心地为一位钢琴家的演奏会送票子，请友人去听赏。没想到《立报》的副刊《言林》上出现一篇大文章:《贵族的音乐和音乐的贵族》。文章批判的就是那场音乐会。作者马凡陀，他当时的好朋友，也是一位"诗人"。

徐迟勃然而起，还了他一篇《音乐的答辩》。

文字交锋又引来了大辩论。"开了整整一天……没有想到我几乎是孤军作战。对方却是严阵以待的，有一大群的雄辩家出了场。……讨论的是当前这个时代所需要的应当是什么样的文学艺术，自然不可能是什么西方古典交响音乐了。你拿出巴赫、贝多芬来也没有用。……我的发言讲了一大套，在这种场合可是吃不开的。……我就这样吃了一次败仗。可真是没有意思，牛头不对马嘴！"

上文引自《江南小镇》。这部自传的上半部完成于1991年。距离那次"孤军作战"的惨败有五十年了。从文章口气看，他依然是没能完全回归"现实"，而且是天真幼稚得可怜的。《小镇》没有后半部，我不知他在姚文元挥起"金棍子"打击"审美的鼻子"那场风波里是否又放了些什么不合时宜的言论。

原先读金克木的《挂剑空垄》，其中的《答望舒》只是闲闲阅过。如今从《难忘徐迟》中读到金克木悼念他好友的《诗人的再生》，其中抄了《答望舒》全篇，还明言是"隔了六十年重新发表"。（说明一下，《挂剑空垄》出版于1999年，悼徐文作于1997年。）我才用心读了这首诗。假如我不知道此作背后错综着的三位诗人的友情缘分和妙绝千古的名士风流，我就绝不会有现在这样大的震动与感慨了。不能不引，但也只好节略：

　　世人羡慕天上的星辰，／以为它们自由自在任意游行。／殊不知它们有无形的镣铐，／它们有丝毫不能错的轨道。

　　……

宇宙原是个有限的无穷，/人类恰好是现实的虚空，/只有那无端的数学法则，/才统治了自己又统治了一切。

……

星辰不知宇宙。宇宙不知人。/人却要知道宇宙，费尽了精神。/愈趋愈远，愈结成简单的道理：/不知道宇宙因为不知道自己。

……

欲知宇宙之大乃愈见其小。/欲知人事之多乃愈见其少。/"日光之下并无新事。"/知与不知，士各有志。

……

在《诗人的再生》这篇文章的最后，作者说："此诗是一九三六年作，原答望舒，今悼徐迟。二诗友去世，我乃独存，是以不材得终天年吧。"

我不能不惊讶于他的见道与知机是那么早，更觉得通人这个词有了更多而深的含义。

【附记】

金克木《少年徐迟》一文中记 1936 年夏南浔的事较详。节抄如下："我当时翻译《通俗天文学》。……他爱听音乐……他对我的天文不感兴趣。我对一窍不通的外国音乐倒很想知道。他便滔滔不绝对我谈论。……我说，我不懂天文，看书便懂了一点便译出来给和我一样的人看。你懂音乐，何不把对我讲的这些写出来给我这样的人看。……他开始写介绍音乐的书。我们的书以后都在商务印书馆出版了。"

怀古调　盼新声

——读《查阜西琴学文萃》有感

几个月来，得闲便捧起八百一十五页的《查阜西琴学文萃》（以下简称《文萃》），津津有味地读，一遍再加一遍，兴犹未尽，感慨殊多，竟把"非典"和酷暑都忘了。它是一部能解求知渴的"琴学百科"，像《幽兰》那样的清凉剂，然而蕴含着深沉的内热。

看了书中的一百来篇文章，我同意吴文光先生序中之言："琴学是一个五脏俱全的建构，问题几乎是全方位的。"也就不能不惊叹作者的浩博精深。古琴，绝不是一件简单的乐器。琴学、琴艺是同上下几千年的中国历史、音乐美学绞在一起的。虽然并不像从前许多人想的那么难以接近，但如果认真地来探究，而能不泥古、不臆想，从千百年来琴学文献的烦琐哲学中理出头绪，用新眼光新思路，做出不含糊的解释，谈何容易！

查阜西这名字，以前我只当他是位道骨仙风的山人。读过《文萃》，方知大谬不然。从《文萃》中的自述生平，别人的介绍，加上他极富个性的文风，我读出了一位经历过时代风涛人生困顿的人物。进过海校，学过航空，蹲过反动派的牢房，也尝过流浪逃亡的艰苦。这是一位对中国民航事业有过不小贡献的实干家。

音乐在他前半生中只是整个事业的一部分而已。然而他对民族音乐尤其古琴的钟爱是终身不渝的。逃亡流浪中，他仍时断时续地自学，也教人弹琴。在上海搞民航，工作并不轻松。他业余授琴，组织琴社，联络各地琴友，交流琴艺。早在20世纪20年代，便发表过《中国声律之调停与琴之声律》等有分量的乐学论文（已收入《文萃》）。整理古琴文献，是他早在青年时代便发下的宏愿，一有机会，便不倦地搜罗研究。新中国成立以后他终于汇编出共有一百五十多种琴谱与有关琴学的文字资料。更为辉煌的业绩是在他主持之下，集体编成了《存见古琴曲谱辑览》《琴曲集成》这样的巨著。

历来的弹琴与谈琴者总不免崇雅而鄙俗，查氏则不然。他生在苗疆边城，后来浪迹江湖，自小便亲近过多种多样的民间音乐。山歌、小调、号子、说唱、各种地方戏，他都爱听爱学。比如他向三弦圣手白凤岩学岔曲，利用唱片学习"鼓王"刘宝全的京韵大鼓，等等。因此从民间传统的土壤中饱吸了营养。至于古琴，1908年他才十三岁时已经开始学了，虽有师承，基本上靠自己摸索。到了 20 世纪 30 年代，已卓然成家，对宋代名曲《潇湘水云》的打谱成绩斐然，时人呼之为"查潇湘"。又因他组织今虞琴社，演奏颇得虞山派三昧，被推许为虞山派代表人物。其实他倒更乐于挹取各派所长，并无门无户之见。例如在《我擅弹各琴曲的师承和渊源》中，介绍自己拿手的三十四曲中出自梅庵派的传谱的共四曲。对《关山月》这一首，他注明"自《梅庵琴谱》打出"。同时说"又体会徐卓的表现方法"。对《风雷引》则说明"对此曲没有用王派表现方法"。

他认为："艺事无古今，无雅俗，无中外。凡从磨练而成者均各有千秋。"可见他的眼光和他的胸襟了。

《文萃》中有好几篇文章，专门谈论琴歌，特别值得注意。如今知道这种艺术的人怕已经不多了。他凭自己亲身实践中得来的知识提出了复兴琴歌的问题。这是一件关系到保存与发展古琴艺术的大事。几千年来，琴乐的创作、演奏并不局限于独弹和琴箫共奏，此外还有词、乐结合，又弹又唱的琴歌。这一形式传统悠久，至少可以上溯到七雄纷争的战国时代。

在秦国宰相百里奚的相府里，一位洗衣服的贫妇走到乐队边，拿起琴来自弹自唱，她唱道："百里奚，五羊皮，忆别时……今日富贵，忘我何为？"原来她便是百里奚的糟糠之妻。琴歌起了感化作用，夫妻团圆了。

西汉大文人司马相如琴挑卓文君，是一个更为浪漫的传说，流传更广。他弹唱的也是琴歌。

琴歌一直在民间流行不绝，与古琴独奏并存。然而到了明代，情况起了变化。琴曲的创作与演奏越来越器乐化。这本是古琴发展中可喜的好现象，但有一派抬雅轻俗的文人琴家强调纯器乐化，又看不起民间流行的琴歌，嫌它们有江湖气，给弹唱琴歌者戴上了"江派"的帽子，贬之为江湖艺人。琴歌从此便不能登大雅之堂了。

"作为一个琴人，我是从琴歌学起的。一直是弹必有唱。后来有人劝我'归口虞山'，我就不敢当众演唱了。"这是查氏的夫子自道。

话虽如此，他是心中有数，不但很快掌握了虞山派的"不歌之曲"，并且把"有歌之曲"的尺寸、强弱与腔韵等要素融入其中，移花接木，丰富了琴曲的表现。查氏说："这正是我未能列坐于晨风庐之会（笔者注：下文会说明），却于后来被称为虞山代表之故。"

读查氏论琴歌的文章，我不能不惭愧。因我曾在介绍古琴的一篇文字中只批评了明清某些冬烘迂儒滥作琴歌，或将已经器乐化的琴曲硬填文字，或将诗词、散文刻板地配上宫商，但没有提到传统琴歌的价值。那自然是因为自己的只知其一不知其二。查文给我以新知与启示。我觉得，琴歌可贵，不但不可任其贬值湮灭，而且要升值，要普及，当务之急是要抢救。今后还应将蕴藏着古老基因的这一品种培育成现代奇葩。这是否夸大？否否！

　　古琴的性能与弹奏方法有特色。虽是拨弦成声却又兼有擦弦乐器之妙——它能够于右手弹指发声之后，趁其余响悠然之际，移动左手按弦之指，变动音高，得出别一个乃至几个音来。这就不仅使旋律中的各音连接紧密圆滑，天衣无缝，如歌似语，比提琴类乐器的"圆滑奏"与"滑奏"更为自由，更为自然；而且韵味独特，比起擦弦乐器所发之声来，别具空灵之妙。

　　这些特色同古琴乐器的独特结构分不开。古琴的琴体，整个上弧面都是指板。利用这一点和弦音余响的悠长（这也跟琴体结构有关），弹奏者可以运用左手的吟、猱、逗、撞等指法来模仿汉语声调，以衬托唱腔、突出吐字，强化表情。查氏发现，古琴上左手指法的产生与发展同汉语特有的声调变化有密切的关系。这也正说明了琴歌促进了古琴音乐的发展。从《文萃》中的《琴歌谱例杂言》，可以见出他对琴歌艺术的深切体验，也说明他认真探究过汉语声韵。这叫我不禁有一点联想，自"五四"以来，精研中西语言学而又兼通西方音乐的文化人，有一位赵元任。设想赵、查二公当年有机会碰头，大概会有谈之不尽的话题吧。而我又遗憾于赵公像是从未谈起过古琴音乐，而查氏自己声明他不知西乐。

　　文集中有《百年来的古琴》一文，其中提到"五四"以后的两次琴坛盛会。一是1919年8月苏州怡园琴会。主办人叶希明，他发帖子邀来北京、长沙、扬州、上海、浙江、四川各地的琴家，到会三十五人。会上有五省十一个地区十五位轮流抚琴，讨论琴学。会后刊行一册很详细的《怡园会琴实纪》。

另一次是上海晨风庐之会，规模更大，参与者有十五个地区的三十一人。大家用两天时间交流琴艺，一天共商琴学。策划人是盐商周庆云，他向大家散发了自己编的《琴书存目》、《琴史补》等资料。会后周庆云、史量才、许松如等几位大老板，想把八九位优秀的琴家留在沪上，同意留下的有三位四川人。不到二年，他们有的流落洋场，有的困顿而死。未能列坐于晨风庐之会的查氏后来问史量才还想不想再搞这种活动，得到的回答是"救国要紧！"。这位反独裁的报业巨子，终乃殒身于枪口之下！

查氏说，这两次琴会是五四运动的副产品，我想是有道理的。就在五四运动那年，北大正式成立了音乐研究会。蔡元培校长把山东诸城的王露请来当了古琴导师。

据查氏《古琴艺术现状报告》，1937年上海今虞琴社作过统计，当时各地琴人尚能演奏的古琴曲共计七十八首。到了1954年9月，初步调查出，此数增加了四首，共为八十二首。后来辑成的《琴曲集成》，第一辑中收了自六朝到明代的琴曲一共是四百五十七首。拿这两个数字一对照，人们所可能听到的古琴曲未免太少了！

现今要听琴曲，主要依赖唱片。新中国成立前的古琴唱片，我当年只听到过两张，也即两个曲子，徐元白的《平沙落雁》、卫仲乐的《阳关三叠》。新中国成立后，"文革"前，买到过管平湖的《广陵散》和徐卓的《捣衣》。近若干年来，古琴 CD 出了不少，到底多少不知道。凭印象估计，不会有上述的八十二曲那么多。

年已八十的我，还能听到我没听过的琴曲吗？因此读《文萃》后产生的一大希望便是市场多出唱片，让早已发掘出来的古曲，化谱为声，给古琴爱好者大饱耳福，这应该是不像前人打谱那么艰辛的。

"古调虽可爱"，只听古调是不够的。古琴的旋律，"音色配器"美妙已极。然而正如赵元任早在"五四"时代便尖锐指出的，与其自囿于单线条变化的有限空间，何如借鉴世界上的先进音乐，充分利用和声对位等手段，让古琴音乐的思维走向更广阔的天地？

演奏方式如何多样化也是值得试验的。何必只让古琴唱独角戏呢？古琴同管弦乐合奏已有尝试。其实以它的特殊性格来看，古琴更适于重奏。几张琴联弹也可，和其他族类的乐器搭档也行，甚至中西合璧，让它们以复调化的语言、织体对话，我以为会创造出某种连德彪西也未曾梦见的神妙境界也未可知。

槛外人有胡思乱想的自由，诸君莫怪！

活在记忆中的音声

　　徐立孙（卓）这位人物，我从少年时代起就对他发生了兴趣。1933年，我插班进南通中学实验小学读五年级，那时，对唱歌这一门课并不感兴趣，然而一唱起校歌却唱得津津有味的，并不像有些同学那样心不在焉，做南郭先生。其实我直到上初中还是个乐盲。校歌引起我兴趣，主要是因为那音乐的铿锵。看油印的乐谱上，作者是徐立孙，从此便记住了这名字。

　　大大加深了对这一名字的好奇的，是另一首校歌。小学毕业，考进商业初级中学，音乐课一开始便教唱校歌，一看歌谱，又是徐老师谱的。这首歌情趣大不一样，也更使我动心。唱一开头那几句："山气城南日夕新，人正青春，校正青春。看绿杨千树，风物绝嚣尘。"便令我陶醉。这正是我们上学放学进出校门所见所感的实境，美妙如画的实境，且又被那音乐升华了！

　　真叫人遗憾，本可以听到作者亲自教这首歌的，可惜我迟来一步，他已经不在商校教课了。是请他教课的地方多，应接不暇吧？

读小学的那几年间，通中大门前的中学堂街，是我上学必经之路。这是因为其时的"通中实小"还没有自己的校舍，是借了盐义仓的空屋上课的，我家则住在西门。中学堂街虽说从西往东接连排着三家学校（"通中"、城北小学和我们"实小"），却似乎总是寂静的，简直就像街西头的古庙天宁寺那么静。然而是一种令人愉悦的宁静、安详，连我这样不懂事的少年也受到了感染。就在这条宁静安详的中学堂街上，我曾听到了至今不能忘怀的钢琴声。当时我还从来不知钢琴是什么样子。听那琴声，是从墙内一幢教学楼中传来的。其声铿然，余韵悠然。它和中学堂街上的宁静谐和契合，舒畅极了！这时，同行的伴侣中有人说：徐老师又弹琴了。

1940 年初，已经迷上前所未知的西方古典音乐的我，忽然又发现了古琴音乐。指点我走近这又一新空间的是一位李君。他大概是跟陈心园学的琴吧？那么他也算得上梅庵派中人了。

有个夏夜，他同陈君相约会琴，选的地点是通中宿舍楼上。时已放假，人去楼空，悄然无声，正适合弹琴。听者唯我一个。他两个分别弹了若干首，都是《梅庵琴谱》中的。当年我只是一个初识琴趣的爱好者，但在弹者听者都无拘无束的气氛中，这对我来说，是一次平生难再得的倾听！

夜已深沉，二君兴犹未尽，最后在两张琴上四手联弹了一曲《风雷引》。我不期而然地想起了张岱《陶庵梦忆·绍兴琴社》中的一句："如出一手，听者骇服！"我暗想：门人弟子弹得如此精彩，那作为梅庵巨子的徐先生的琴艺更不知何等高妙了。

可是我对这位心中景仰的音乐家仍然只闻其"声"，不见其人，而且这"声"是间接的。

1945年夏秋之间，在新解放的金沙镇，有一个夜晚开露天民众大会，最后有人高声提议：请徐立孙先生来一个节目！群众鼓掌响应，他也并不谦让。旁边已经有人递上了他所用的琵琶。看来，每在这种场合，众必有求，而他也有求必应的。我却没想到，他一边调弦一边向听众做起了音乐普及工作，告诉大家，他要弹的曲子是《四合》，而历来流传的这曲子又有《扬合》与《苏合》的不同流派等等。

广场、土台子，没有扩音设备，哪能欣赏音响文弱的琵琶！因此，尽管偿了闻其声、见其人的夙愿，仍然还是遗憾。

暮年反刍，觉得自己之能成为一个音乐爱好者，受到美育，并且中西兼爱，不陷于偏嗜，都同以上那些经历、体验颇有关联。为了追寻这可珍重的忆念，去年还曾独往中学堂街上去徘徊了一圈。

有古琴音乐伴奏的回忆

——记故友李宁南

　　在我尚未了结的一生中，李宁南是一位来也匆匆去也匆匆的朋友。然而即便过去了大半个世纪，许多别的人与事都已经从记忆中湮灭殆尽了。每一回想他，便有一个鲜活如生的全身像站在面前，有动作，有神情，还带着声音，最珍贵的是不光是说话声，还有音乐，古琴音乐。

　　当年因国难临头而失学，我权且闭门自修。语文、历史等方面没多大困难，似乎可以在原有基础上争取"跨越式发展"，但对于数理课可就需要有人辅导了。

　　另外，我那时已发现了而且一头栽进了诱惑力极大的新空间——西方严肃音乐。听到了一些名作的唱片。过去在学校里总感到枯燥也学不进去的五线谱，此时已无师自通。

　　没想到在自己面前忽又现出了另一个新空间，同样是诱惑力极大，不可抗拒。从一张百代公司的唱片上，听到了古琴曲

《阳关三叠》，卫仲乐弹的。加上王光祈的一本《翻译琴谱之研究》，这二者便鼓动着自己去新空间探险。然而连个古琴都无觅处，入门从何谈起？

就在此时，宁南君和我成了新知。他慨然答应助我解答数学难题。此时他正在某绅士家做课外老师。听这个学历比我高的人谈起代数几何中的问题来，思维之清晰，话语之明白，叫我相信他肯定是个胜任愉快的老师。

这个数学头脑同时又是个音乐头脑，这却是出人意表的了。他一举解决了我探险古琴音乐新空间的三大困难，立刻去借来了一张古琴，夏沛霖手制的，琴弦都装好了。（通过借弹这张琴，我心中留下了夏沛霖这位能人的影子。他在电话公司做事，我有个老同学的父亲是公司负责人。有一回我和同学走过官地街上，同学指着公司小门里边一个背影说，那就是夏沛霖。可惜只看见个背影，后来便听说他已病故了，不胜其怅惘！）

不但有了乐器，他同时带来了《梅庵琴谱》。古琴我小时候曾见过一次，父亲大概是想自己仿制一具来学弹吧，有一年向范肯堂后人家去借过一张，看样子是相当古旧的，未张弦，所以不知其声。至于琴谱，我还是头一回见到。当然，看了王光祈的书，贾宝玉所谓天书的指法符号我已经并不陌生了。然而面对着《梅庵琴谱》这样一部为问津者着想的"琴学津梁"，我是满心欢喜赞叹的。

　　王光祈书中介绍的指法符号，我原先纸上谈兵，无法具体
领会。经过宁南君一番示范讲解，便不难自己去琢磨练习，个
别辅导并没有花费他太多时间。除了做"家教"，他自己也在
做投考大学的准备，时间金贵。而我只要有教材，本来就以自
习为乐趣，那样更自由自在。

　　借助于王光祈的译谱法，我将《梅庵》中的大多数琴曲都
移译到了五线谱上，使曲调的曲折进行一目了然。这对读曲和
记忆都有利。

　　不过，只靠那节拍划分得十分简单的谱子，弹出来的像一
幅粗线条的名画摹本，那便不堪入耳了。所幸有宁南君，只要
有空，无干扰，也有兴致，他便来我们家为我独抚数曲，让
我听到了《梅庵》中几乎所有的"小品"，后来又示范了一首
《平沙落雁》。这些已够我自己再去心摹手追，好好受用了。当
年并没多少古琴唱片可资利用，除了上述的《阳关》，我只见
过一张徐元白的《平沙》，是别一派的。我一直觉得还是宁南
君弹的更有生气，更有情趣。既然他是向陈心园学的，那么我
便是有幸听到了梅庵派人的现场演奏，那恐怕是更胜于后来的
录音的。录音室中出来的唱片，可能变得像"罐头食品"。现
场演奏，如果能默契、忘机，那才会最合乎古琴特点的真趣。

　　我同宁南君以学琴为中心的交往，高峰是一场独特的月夜
"会琴"，演奏者是他和陈心园君，洗耳恭听的就我这一个。地
点在已经放了暑假人去楼空的中学堂宿舍里。那座古旧的木结

构楼房充当了绝好的共鸣箱。他们各自弹了几曲小品，还弹了《平沙》。最后是两人合弹了《风雷引》。

这真乃乱世人生中可遇而不可求的一次艺术享受，正像张岱所形容的，"每一思之，如同隔世"！

即便在当年，这已不可再得了。"会琴"之后没多久，宁南君不动声色地去了后方的"浙江国立英士大学"。再以后是噩耗传来，他得了重病，孤身一人举目无亲，据说是在哀呼故乡亲人的悲凉气氛中辞世的。

《中国古琴指南（梅庵琴谱）》序（译文）

　　中国的古琴，是精微奇妙的古老乐器。据记载，孔夫子不但会弹奏古琴，且曾为它谱曲。虽说此事无从证实，至少从唐代以来，古琴已经成了中国文人最钟爱的乐器，积累了数量可观、多种多样的琴学文献。这些资料被收集在几十部琴谱之中。琴谱不但用以保存琴曲，也提供了教学资料。当15世纪之初，此类琴谱就已开始出现了。

　　高罗佩所著的那部《琴道》，如今已成为传世经典。在书中，他力劝西方的音乐学家们去研究中国古琴。

　　由于受到古琴音乐那种安详宁静之美的强烈感染，我也开始了自己的研习。高罗佩建议人们首先要从15、16世纪的琴谱中去探索创作方法与调式问题。我却以为，如果那样做的话，势必会在涉及演奏方法的问题上碰到只能提出一些假设的麻烦，因为至今还没有一部古琴演奏史。

　　因此，我没有照他说的办。我舍远而求近，从中国现代琴人的演奏实践选择了自己研究的出发点，将《梅庵琴谱》作为研讨的文本。在现代中国，它是被广泛用来教学古琴的一部琴谱。它代表了今天仍在积极活动的一个琴派。通过磁带、唱片，人们可以听到梅庵派中三代琴人演奏的谱中琴曲，包括这本琴谱的编纂者徐立孙。

在 1977 年我写的博士论文中，对《梅庵琴谱》的研究是其中心内容，我对它作了详细的分析探讨。现今出版这本《指南》，意在给那些有志于了解这一迷人的中国传统艺术的一般读者提供一本简明实用的入门书。

为了方便西方人阅读，原著中有些部分我作了调整，例如第三章，关于调弦、音阶与调式这三个问题，原著是分开讲的，我则将其安排在一起谈了。又如在第四章（译者按，此处有误，应为第三章）里，我把三篇附有歌词的琴曲合而论之，以便说明此一类型的琴曲的特点。凡是原书中我感到累赘多余的文字，便略去不译（这主要是对附有歌词的琴曲的解说）。版本时代较后的几种《梅庵琴谱》，有的序言我全删了。在必要的地方，我附以汉字原文，以免读者费解。

据我所知，《指南》是中国此类琴谱首次以英译问世。

如想对传统中乐作进一步了解，可参考《新牛津音乐史》中劳伦斯·毕铿的论文和《新格罗夫音乐与音乐家词典》中关于中乐的条目。

本书中移译为五线谱的古琴曲，基本按原著中乐谱转译，其节拍与必要的演奏说明则以演奏录音为依据来处理。演奏者为：吴宗汉、吕培原、陶筑生。

　　梅庵派诸位大师都乐于同我本人交流琴学知识与他们拥有的琴学资料。支持我研究工作的还有指教我习琴的汪振华老师、吕振原老师。为表示我的感激之情，谨将此书献给诸位杰出的音乐家，愿它能促进美妙的古琴艺术普及于更广泛的爱好者！

　　　　　　［美］弗莱德列克·李伯曼 1981 年于西雅图

　　　　　　　　　（原文见 Fredric Lieberman

　　编译 *A Chinese Zither Tutor*：*The Mei-an Ch'in-p'u*）

中乐寻踪

　　长寿几千年的中乐史，从何说起？只用两三万字，如何说得尽？以作者对这个题目的知之甚浅，更哪能说得清？

　　既然对中乐有深嗜，自然也希望有更多的同好者大家来共赏。怀着这种心情，温读有关的资料，无声的和有声的，凑成了这篇读书札记。材料驳杂，议论轻率，不值方家一顾；只盼其对于普通的音乐爱好者能起一种引起兴趣的作用吧。

一、史中寻乐

　　古老的独具特色的中国历史，如同一条从未断流、消失的长河。

　　古老而且独具特色的中国音乐，是中国历史中的重要部分，也是几千年长流不息。

　　历史的保存，主要靠文献与文物。音乐的记录，主要靠乐谱、录音。

古时候当然没有录音机。乐谱的发明也姗姗来迟。中国最早的记谱法，所谓"声曲折"，是西汉时才出现的。那也是非常原始的记谱法。

有谱之前的古乐固然无声可稽了，后来虽然有了乐谱，历经朝代兴亡变乱中的水火兵虫诸多劫难，幸存下来的也成了凤毛麟角。

我们今天能够见到的最古的中国乐谱，仅仅剩下唐人手写的古代七弦琴曲《碣石调·幽兰》，敦煌遗书中的唐代琵琶谱和工尺谱。前两种古谱虽然已有不少专家进行了"打谱"或"破译"的工作，可以演奏了，但那译与演是否符合原来的音乐，无论从理论上还是从实际效果来看也还是个疑问。

所以，从那可得而闻之的音乐来看，中国之古乐竟可以说是大部分已经声沉响绝，不可得而赏之了！

然而，如果同西方古乐的向往者相比，我们又是幸运的。我们可以借助文献、文物，借助那从未断线的大量史籍，从中发掘"音乐"。

中国人自古以来便把音乐放在一个很高很重要的位置上。统治者是如此，文人也如此，所以史籍中很早、而且一直有关于音乐的记载。而在文人学士的诗文中，涉及音乐的内容也占了很可观的部分。除此以外，还有发掘出来的地下文物，可以直接间接地为历史作见证，有的还能重新发出沉默已久的声音。何况还有古乐保留于今乐中的痕迹，等等；这些都可以有助于我们驰骋自己的想象。

史中有乐！我们可以向史中去寻乐。

从历史文献与出土的地下文物来看，中乐之初始非常稚拙，同世界上的其他文明是一样的。

例如，出土于约六千年前的河姆渡遗址的陶埙，只能吹出两个音来。出土的殷商晚期、小屯殷墟的陶埙，有了五个音孔，后来构成中国音乐最重要特色的"五声音阶"才基本上形成了。从"五声不全"的原始乐器，到完整的五声、七声音阶的最后形成，据估计大概用了三千多年的时间。

夏、商、周三代那漫长的岁月中，贫乏的音乐语言约束着先民们表达抒发自己的感情，难以畅所欲言，那烦闷是可以想见的。见之于古史的所谓《葛天氏之歌》《伊耆氏之歌》，还有什么传说是尧舜时代的《击壤歌》《南风歌》，我们在想象中只能把它们谱成一种极其朴拙粗犷，原始气息甚浓的山歌野唱。

中国的文明似乎有一种"早熟"的现象。中国的音乐文化也有这特点。尽管起步艰难，三千年才基本上找到了自己音乐语言的基础五声、七声音阶，可是它以加速前进的步子走向了成熟。于是，到了春秋战国时代，于"百家争鸣"的文化高潮中，同时也交响着相当成熟了的音乐之声。

史中之声说不胜说，听不胜听，只可拈出几个最有乐感、最有史感的例子来一说。

孔夫子是个百科全书似的智者。他又是个极重视音乐的教化作用、很懂音乐也深爱音乐的人。由孔门弟子记述的《论语》中有这样的记载："子于是日哭，则不歌。"（孔子如果到人家去吊过丧，哭过，那一天就不再唱歌了。）可见，他平日是爱唱歌的，并不像后来的道学家那样终日板起面孔不苟言笑，更不肯哼哼唱唱了。哭过了便无心唱歌，也可以想见他是用真感情来歌唱的。"唯乐不可以为伪"是儒家经典《礼记》中《乐记》那篇重要的乐论中的警句，正可为此事下一注脚。

孔门高足，通晓"六艺"包括音乐在内的"七十二贤人"之一的子游，去治理一个小小的地方。他也推行"乐教"，兴起了"弦歌之声"（"弦"就是用乐器演奏或伴奏歌唱）。老师听到了，"莞尔而笑"。虽然他口里说的是批评口气的"割鸡焉用牛刀"，其实他心里是欢喜而得意的，所以才加上一句："前言戏之耳！"

孔子不但爱唱，还能击磬、鼓瑟、弹琴。有一回有个他所讨厌的客人来访，他托辞不见，却又"取瑟而歌，使之闻之"。这是有声又有情绪的一个历史镜头！

他的爱乐之深，十足地反映在"子在齐闻《韶》，三月不知肉味"这一记述中。《论语》中这段话是记他到了齐国，听到了他认为"尽善尽美"的《韶》乐，入迷到了一连三个月都不觉得口中吃的肉是什么味道。

这并不完全是文学的夸张。从大脑的有兴奋必有抑制的机制和欣赏心理学来看，孔子这事大概不会是无稽之谈。凡是乐迷，都有相似的体验，当你被所嗜爱之乐吸引住的时候，你对口中的食物是食而不知其味的。

孔子不但爱乐，而且知乐，而且深知乐理。因此他能"正乐"，即纠正音乐中搞错乱了的地方。把几千篇诗歌整理编选为共有三百多篇的《诗经》，这件工程浩大的编辑工作也绝不仅仅是在竹简上做文字工作，那是包括音乐上的审订在内的。因为，《诗经》中所收的那些诗歌，都是当时流传于民间或宫廷中的歌曲，是同音乐结合在一起的。不是一个对音乐有广博知识的内行，是担负不了这件工作的。所以他才说："吾自卫返鲁，然后乐正，《雅》《颂》各得其所。"

《论语》中还记着："子与人歌而善，必使反之，而后和之。"意思是：他同别人一道唱歌，发现别人唱的歌好，一定要让人家再唱一遍，然后自己也跟着唱。这就不但活画出一个爱乐的孔子，也说明了他所以知乐并非生而知之，也是虚心好学的结果。

最能为孔门音乐气氛传真的，是《论语》《先进》篇中的一段实录。

几位高足，子路、曾皙、冉有、公西华陪着老师坐着。孔子问他们各自有何追求。于是，子路等三位一个个作了回答。剩下一个曾皙没有交卷。原来他在一边弹他的瑟呢。按年齿大小来说，子路后面便该轮到他了，老师却不曾去打断他的乐兴，先问别人了。既然大家都说了，夫子便催道："点！尔何如？""点"就是曾晳的名字。这时，"鼓瑟希，铿尔，舍瑟而作，对曰"，接下去便是那段引起孔夫子感慨的话了。

这一场孔门言志的生动报导，极富现场感。但如不留心听那史中之声，那便糟蹋了这段精彩的有声史景了。"鼓瑟希，铿尔"，两千多年后的今天仍然如闻其声！老师发问，曾晳且弹且听。直到已点了自己的名，仍未住手，而是恋恋不舍地慢下来，边弹边想，故而"音希"。想好了，才拨弦铿然一响，结束，推瑟而起。

孔门教学，师生关系，弦歌不辍，那个时代的高级知识分子同音乐的关系，都让我们从这史中之乐、乐中之史里亲切地感受到了！

春秋战国之际真正是中国文化的一次"灿烂的爆发"（伏尔泰妙语）！音乐文化自然也在其中，所以那一段历史是更显得有声有色的。散见于史传、诸子百家的著述中的许多记载，哪怕只是些片鳞只羽，也都有很浓的史感与乐感。比方，有这样一个细节："古之佩玉，左宫右徵，以节其步，声不失序。"就是说，左、右的佩玉分别发出相当于今日"1""5"之音，正好是极和谐的五度音程，试想那环佩叮咚的场面是何等音乐化！利用想象把它们连缀起来，便不难感受到当时那个社会中的音乐之声是如何的洋洋盈耳了。

当时，秦地的文化是相对落后的。李斯在上书劝说秦王不要逐客时说到，"夫击瓮、叩缶、弹筝、搏髀，而歌呼呜呜快耳目者，真秦之声也"。在这幅斑驳的人民音乐生活画面中，不但有陶制的乐器缶，连击瓮和拍打大腿也成了伴奏，而歌唱又只是"呜呜"之声，只是无词的喊叫，也实在太粗陋了。粗陋尽管粗陋，但人们渴求用音乐来表达激动的情绪，不是也活现于我们的想象中了吗！

造成鲜明对照的是另一幅画面，其中传出了更热闹也更发达的音乐生活的信息。

《战国策》中记叙那个凭着三寸不烂之舌，唾手而取六国相印的苏秦。他游说齐宣王的一篇话中说到了齐地的富裕和发达："临淄（当时齐国的首都）甚富而实，其民无不吹竽鼓瑟，弹琴击筑……"云云。虽说其言有辩士的夸张成分是不言而喻的，但他不至于当面说谎。齐地靠着山海之利，物质资源之富远胜于西陲之秦。那么对音乐生活的要求也自然更高了。韩非讲的南郭先生吹竽的笑话也正发生于齐宣王之时。齐宣王好乐是有名的。他最爱听人吹竽，而且要听由三百人组成的乐队吹奏。于是便闹出了"滥竽充数"的大笑话。三百之数难免夸大，但那乐队肯定是声势浩大的。

"燕赵多悲歌慷慨之士"，荆轲刺秦王这出历史悲剧，其中不但有悲壮的音乐之声，而且那乐声中有可以说明那时的音乐水平已发展到一种令人惊异的高度的线索。

燕太子丹和众宾客为壮士送行，饯别于易水之滨。"高渐离击筑。荆卿和而歌，为变徵之声。士皆垂泪涕泣。又前而为

歌曰：'风萧萧兮易水寒，壮士一去兮不复还！'复为羽声慷慨，士皆瞋目，发尽上指冠。"（《史记》）

这些情节多半是史家采集传闻，作了文学加工。但其中有关音乐的重要细节，则可能是按照已经形成的作曲手法来拟想的。

"宫、商、角、徵、羽"，好比如今简谱中的"**1、2、3、5、6**"那五个唱名。"变徵"相当于升高半音的"**5**"[1]。"为变徵之声"和"复为羽声"，可能是在音乐中运用了不同的调式和转调的方法，以表现强烈的情绪，因而产生了听众感动流涕、怒发冲冠的效果。

这既反映出当时在制曲与演唱上达到的水平之高，同时也可见音乐的相当普及，否则，不大可能在民间传说与历史记载中出现这种描述吧？

荆轲刺秦王的传说还有另一种版本，同样的极富乐感，而又另有特色。

据古书《燕丹子》中记载，当这幕史剧进展到"图穷匕首见"，荆轲一把揪住秦王之袖，正要下手时，秦王恳求说，且容他再听一段琴曲，然后虽死无恨。于是召来了秦姬，为王鼓琴。她却乘此时机，用琴声中的"语言"，提醒主上："罗縠单衣，可掣而绝；八尺屏风，可超而越！"秦王猛省，便挣

---

1 "变徵"为降低半音的"**5**"。

断了衣袖，逾屏风而走。如此一来，荆卿事败，成为千古的遗恨！

司马迁不曾采用的这篇传说，虽浪漫诙奇可喜，却近乎荒唐之言。然而对其中涉及音乐的情节却可作出合理的解释来。

汉语有"四声"。"平、上、去、入"的声调实际上是高低不同的音调，利用乐器上的音调变化以模拟"四声"，听上去便像是说话。流传至今的"单弦拉戏"便用此法表演"说话"。

请注意这篇故事中说的乐器是琴而非瑟也非筝。瑟在古代曾广为流行。筝是秦人喜弹之器，所谓"赵瑟秦筝"。何以独独要用琴来做这出史剧的"道具"？关键在于琴有指板而无柱，所以最便于弹奏滑音。而模拟汉语"四声"的声调，必须利用滑音才像。

不妨再作一种推论。假如当时真有此以弦上之音暗通消息的事，那么所模拟的必定是秦地方音了。这才能让嬴政一听便懂，而来自燕赵的侠士茫然不解。

春秋以来，史中谈琴之事甚多。孔子向师襄学琴；成连教伯牙；伯牙遇钟子期；邹忌以琴见齐威王，三个月便受了相印；等等。那都是高贵者或高雅者。琴语救秦王的传说则似乎可以看出琴的更加普及、市俗琴技的发展。显然，后世的"单弦拉戏"不能登大雅之堂，古时在琴上"讲话"也只能是市井之音。

中乐文化到了春秋战国时代便发育成熟，不但可从史中之声来想见，且还有那已结晶为理论的文字来作证。而在音乐理论思维上的精深，语言表达上的精彩，更是叫人惊叹！

孔夫子的再传弟子，公孙尼子所撰的《乐记》，便是这样的一篇杰作。它用那么精练的文字概括了古人对音乐艺术的深切体会。

音乐从何而来？音乐是怎么回事？像这种追根问底，难以说清的微妙问题，它回答得妙极了："凡音之起，由人心生也。人心之动，物使之然也。感于物而动，故形于声。声相应，故生变；变成方，谓之音。比音而乐之，及干、戚、羽、旄，谓之乐。"

大意是："乐"是人的心受了外界事物的影响，激动起来，便产生了一定的思想感情。然后，用按一定的规律组织成的声音和舞蹈动作去把它形象地再现出来的。（译文引自人民音乐出版社《中国音乐史略》第三十四页。）

《乐记》中精彩的说法还有："唯乐不可以为伪。"前文已经提到了。

《乐记》中还有一段话，绝妙地反映出那时的乐学家的感觉何等敏锐，形象思维与语言表达何其高明。那是一段形容歌唱艺术的话："故歌者，上如抗，下如坠，曲如折，止如槁木，倨中矩，勾中钩，累累乎端如贯珠。"

中国诗歌中有很多警语反映出诗人"通感"的发达。《乐记》中这段话，将听觉与视觉通连，"以耳为目""心想其形状如此",正是在发挥"通感"的妙用。正因此,"累累乎端如贯珠"成了千古名句!

应该想想的是,只有在生活中已出现了普遍爱好音乐的风气,出现了动人心的作品,也出现了很多的善歌者和演奏家,例如传说中的"响遏行云""余音绕梁,三日不绝"的秦青、韩娥,工于弹琴的成连、伯牙,等等,理论家才有可能总结出如此出色的理论,这一点是无可怀疑的。

足以显示古代音乐之成熟的,尤在于律学方面的高水平。如果没有一套较为完备的律学知识,那个社会的音乐在实践上便没有基础,没有准绳。比方说,齐宣王那个庞大的乐队,至少也有几十件竽吧,要吹奏得声音又准又齐,那些乐器便要按一样的音律制作才行,那就需要律学的知识。

前面说过,到了商周之际,才形成了五声音阶。过了不长的时间,七声音阶也见之于史籍了。从五声、七声音阶又进一步发展出了"十二律"。这可又是中国律学上一个重大成就!

《国语》上记着,周景王想要铸钟。钟是古代庙堂乐队中极重要的乐器,不仅是乐器,还是有重大象征意义的所谓"国之重器"。所以,铸钟一事是非常隆重的。它不但是复杂的工艺,而且要使其音调准确,合于律,必须有懂律学者指导才行。当时有位通律学的叫伶州鸠,被召来当顾问。他给周景王上了一课,讲了律学知识。从他这篇扼要的讲话中,可以知道,当时的人已经懂得了"黄钟、大吕……"等"十二律"

了，也便是大体相当于今天由十二个半音组成的半音阶那样的音阶体系。而这却是发生在公元前522年之际的事！"十二律"的发现当然还要早于此时。

在伶州鸠指导之下铸成的周景王钟，到底是怎样的一种声音，我们无从验之以耳了。很可能也同别的铜器一起，被秦始皇收刮了去，销铸成了"十二金人"吧？规模更宏大，音律更完备更精确的一套古代编钟，沉默于地下两千多年，一朝出土，重振金声，成了中国律学那时已达到高度水平的铁证！

这就是出土于战国时代曾侯乙墓的那套战国编钟。此墓的年代为公元前433年，去周景王铸钟之事还不到百年。

整套编钟一共有六十五件，分上、中、下三层悬挂。每层又分为三组。每一口钟上面都铭刻着它所发之声的阶名，还刻上了同曾国所用律名相对应的晋、楚等国所用律名。

这一套钟乐能够发出从低到高的五个八度的乐音，可以用来演奏五声或七声音阶的乐曲。不仅如此，由于它是包含了十二个半音的，因此它便可以"十二律旋相为宫"（即用十二律中任何一律当做宫音，组成一个新的调。也就像今天的乐器上可以演奏"C调""D调"等等一样。这种旋宫转调的方法，在《乐记》中也记着了）。用旋宫之法，这套编钟能转五六个不同的调子。照理应该可以转更多的调，但由于当时所用的是一种不平均律，所以受到限制。

这当然美中不足，令人遗憾，但不妨再想一想，中国是直到明代才由朱载堉研究出了十二平均律的，而西方人巴赫作《十二平均律钢琴曲集》更要迟一百多年。那么，战国编钟在律学上所达到的高度已经太了不起了！

当然，除了律法上的问题，据测试，在音高的准确上也还有一些瑕疵。不管有多少瑕疵，这套古代重型乐器是一个眩目震耳的存在，它的铭文，它那沉默了两千年又响了起来的洪大声响，是虽已湮灭而尚存于史籍中的古乐文化的见证。洪钟之声像是从两千年之前传来的，而我们再借它这声浪返回去追寻灿烂的古乐！

二、诗乐因缘

前辈学人朱谦之做了一本似乎今已无人注意的《中国音乐文学史》。他引《尚书》中一段话，"诗言志，歌咏言，声依咏，律和声，八音克谐……"再引证《乐记》《毛诗序》中的说法，又从历代诗歌同音乐之间的密切关系，最后得出一个看法：三千年的中国文学史，是一部音乐文学史。

那看法，既可启发我们如此去读中国文学，尤其大有助于我们去读中国音乐；便是说，大有助于我们去向文学尤其是诗歌中去追踪那已经迷失澌灭的乐声，去倾听乐中之诗与诗中之乐。我说这是认识与体验、享受中乐的一大法门。

前面已提到过，一部《诗经》，原本都是歌曲中之歌词，是让人唱的，《诗经》是"歌诗"。孔子从几千篇歌曲中选出了

"诗三百"，编辑成了一部《诗经》，既是文字编辑，又是音乐编辑工作。诗与乐，自古以来便是亲密地结合在一起。

"诗亡然后春秋作"，孟夫子编造此一说法自有其意图，且不去管它。《诗经》的文词并不曾"亡"，但可惜的是那些唱诗的调子的确是已经亡失了！

南宋的朱熹在其《仪礼经传通解》的诗乐篇中提供了一份《风雅十二诗谱》，据说是古谱。但他自己又怀疑："古声亡灭已久，不知当时工师何所考而为此？"然而又"姑存此以见声歌之仿佛"。

此谱的头一曲便是《关雎》。我们一读那一字一音，板板六十四的乐谱，便会比朱熹更难相信其为真，这是孔子所叹美的"乐而不淫，哀而不伤"的《关雎》之乐吗？是"《关雎》之乱，洋洋乎盈耳哉！"吗？（"乱"大约是像现代歌曲中"副歌"那样的部分。）

当然，古代的庙堂之乐很可能是"催眠曲"。《乐记》中说，魏文侯问孔子的学生子夏："吾端冕而听古乐，则唯恐卧。"他倒是坦白得可爱！

但我宁可相信孔子的叹美之词，相信那从南方传来的《周南》是民间风味的音乐，而连朱熹也怀疑的古谱乃是后来的迂儒以意为之的。

原先的诗乐是亡失了！我们只好以那幸未被秦火付之一炬的《诗经》——也即是歌词，作为依据来求索了。"苟能神解

意会，以音求之，安有不可歌之理乎？"（朱载堉语）

有的是繁音促节的抒情诗、叙事诗（"风""雅"）；有的是音节舒缓的赞美诗（"颂"）；朱谦之说的是《诗经》中的歌词、文字，我们也可从"风""雅""颂"中读出并配上情趣不同之乐；从列国之"风"中想象出不同的乡土风味之乐来。那么，为郑、卫之"风"配乐，自然要还它以"郑、卫之音"了。像"女曰鸡鸣……""将仲子兮，无逾我墙……"这类篇章，当然要唱成情歌的调子了，总不好按腐儒之说配以说教的"美、刺"之腔吧？这倒让古人戴埴说中了："求诗于诗，不若求诗于乐。"

楚文化对华夏文明之发展贡献不小。楚声文学中的伟大作品《楚辞》等，自来便受到重视。可以想象，当北方的《诗经》文学日渐衰颓之际，南方的楚声正在盛大起来，前来接班了。

于此，我们仍然不要只注目于文词，而也要侧耳遥听其声。因为，诗是新诗，负载着那新诗、拥抱着那新诗的，也是同北方之声迥然有异的瑰丽的新声。

《楚辞》与音乐的关系之密切，似乎比《诗经》还要显然。今天拿来讽诵乃至默读，也是乐感极浓的。这既显示出诗与乐二者的进一步发展，也同南国那特异的自然、民俗的土壤、气息都有难解难分的关系。

《楚辞》原来是同乐、舞同在的。《九歌》即是楚人载歌载舞迎神送神的节目，好比一场歌舞剧。

从《楚辞》的唱词中可以看到对音乐的描述。例如《招魂》中：

"肴羞未通，女乐罗些，陈钟按鼓，造新歌些，《涉江》《采菱》，发《扬荷》些，美人既醉，朱颜酡些，娭光眇视，目曾波些……竽、瑟狂会，搷鸣鼓些，宫廷震惊，发《激楚》些……"

大意是：酒菜还未上完，女乐已经上场。鸣钟击鼓，唱着《涉江》《采菱》《扬荷》等歌曲……竽、瑟、大鼓，声调是那样热烈，殿堂为之震动，是在演奏《激楚》之乐。（译文引自人民音乐出版社《中国音乐史略》。）

虽然是词犹在而乐已亡，但就从这文词的刻画铺陈中，从那音调的铿锵、节奏的紧凑迫促中，一种纵情歌舞的气氛顿然把人陶醉了！

歌唱人神之恋的《九歌》，是一套"大联唱"。从歌唱迎接天神降临的《东皇太一》、祭女神的《云中君》、祭男神的《湘君》《湘夫人》，到礼赞为国捐躯者英灵的《国殇》、送神的《礼魂》，一共包含着十一首歌曲，有一个统一而又有对比变化的结构。遥想当年那演唱与舞蹈宏大场面的美妙庄严，能不为之神往？

前人谢无量在所著《楚辞新论》中致慨于："楚辞的好处，第一在它的音节；第二在其所合之乐；第三在它表演的舞姿；

最后才是它的文词。现在前三种都没有了，单剩下那不实不尽的文词，叫人怎能完全看见它的好处呢？"

诚然是绝大的遗憾。但只要我们心里明白，知道它是诗、乐、舞的综合艺术品，利用我们对史与乐的理解与想象，那么就可以像修复已破损的出土文物一样，于诗中得乐了。

楚国虽然被强秦所吞并，楚声却并未销声，反而有风靡华夏之势，这就说明那音乐有很大的感染力。

虽然是"亡秦必楚"，但是那把咸阳付之一炬的项羽，同刘邦在垓下大决战，使他一败涂地的不是"十面埋伏"而是"四面楚歌"！

楚霸王唱的绝命词"力拔山兮气盖世，时不利兮骓不逝"，汉高祖衣锦还乡，得意地高唱"大风起兮云飞扬，威加海内兮归故乡"，都是精彩的史景中现成的配乐。而这些都是楚声！

楚声到底如何呢？我们该怎样去"心想其音"呢？

晋人阮籍在其《乐论》中有说法：楚地的风气好勇斗狠，所以人们不怕死，故此有许多蹈水赴火之歌。

假如根据古诗歌来揣想其乐，那么，春秋时的以《诗经》为代表的诗歌，大体上是"温柔敦厚"的。到了战国，许多诗歌带着慷慨悲歌的气势。据此想象，那以楚声为主流的秦汉之交的新声，大概也是以强烈的抒情色彩为其特色，这样也才能同那"世变之亟"合拍吧。

有一部清朝人写的笔记《西斋偶得》中认为，饮食与音乐变化最快，过了几百年，以往的情形便全不可知了。中乐这股流淌了几千年的长流，那新陈代谢的流变是错综曲折的。

丘琼荪的遗著《燕乐探微》中有一段"似穷千里目"的精彩叙述，摘其大要如下：

汉兴，南方的楚声随着政治势力而大量流到北方，久而久之便衍变为清商乐。这是清商乐的北派。原先民间的街陌谣讴，如"相和歌"等被采入"乐府"，化为"雅乐"了。当"清商乐"盛行之后，中原旧有的乐曲似乎都衰歇了。但在两汉、魏、晋时代，南北音乐可称统一。西晋末年，中原鼎沸，从此三个世纪中，北方之乐衰落了。中原的"清商乐"有一部分散落到了南方。"胡乐"流入，渐渐地取代了"清商乐"。在"胡乐"中，起初流行的北方乐，即匈奴、鲜卑、羯族之乐。后来西方之乐也大盛，即氐、羌之乐。

南方又不同。从东晋到隋，盛行的是"吴歌""西曲"。这是南派"清商乐"。但同时还存在着北派的。这北派"清商"的来源，一是南来的避难者带来的；一是南军北伐时虏获的乐工乐器带来的。此类乐部后来又几次重复被北人掠去，作为北方统治者朝廷典礼中的点缀。

南方朝廷一面用残缺走样的中原旧乐以示正统；一面也用南方流行之乐以逐时好。民间则北方盛行胡乐，南方盛行"西曲""吴歌"。

隋人对南北朝官府之乐有简洁了当的概括："梁、陈旧乐，杂用吴、楚之音；周、齐旧乐，多涉胡戎之伎。"

这也可见，虽有传统的源头可寻，而其实那乐流已经成了新旧合流的混合体。

"分久必合"，一统天下的隋朝，把那周、齐之乐和梁、陈之乐，兼收并蓄，组成了它宫廷用的"太常乐"，合流的中乐浩浩荡荡，在此基础上，中乐到唐代又出现了再一次"灿烂的爆发"。

从"诗乐因缘"的角度来看，由于其时代较近，有更多的文献、文物可征，这又一次的爆发是更显得辉煌的。读了有关唐乐的记载，怎不令人渴想一听那"十部伎"演出的"大曲"，尤其是那由明皇亲自排练的法曲仙音《霓裳羽衣曲》。我们也向往那举不胜举的器乐名曲，那至少有一千至二千篇的教坊之曲。

令人叹恨的是，今天除了《敦煌琵琶谱》《敦煌工尺谱》两种残缺不全且又难以破译的古谱，唐乐也已不可闻了！

不过我们要深深地感激唐代诗人。唐诗中有唐乐之"声"。

这也是传统。中国文人历来就爱乐，也知乐。从汉以后，咏乐就是诗、赋中常见的题目。唐代诗人浸淫呼吸于高度发达普及的音乐气候之中，乐兴更刺激了诗兴。现存近五万首唐诗中，写到音乐的诗篇是大量的。读那些诗，就是通过诗人的亲身体验在遥听唐乐了。缺憾虽然得到弥补，却又反而加深了惆怅。

唐诗写唐乐，特别惊人的是那些听名手奏名曲的名篇。以形象之言写无形之声，绘声捉影，到唐诗可谓登峰造极！

像《琵琶行》这首诗，人所共赏；但我们如果不是只赏其语妙，而特意从追寻唐乐的角度去感受，则又可获得更大的享受。可以联想琵琶这一西来的乐器，当时如何迷醉了那么多听众；联想那用拨子弹奏的效果是如何的与后来擫弹不一样，等等。从那些写乐之诗中，更可以感觉到作诗者是怎样的内行和爱乐之深，否则诗才再高，也写不出这种能将微妙的乐感传达给千百年后人的作品。

足以证明白居易是赏乐的内行，另有一篇《听吹觱篥歌》："有时婉软无筋骨，有时顿挫生棱节。急声圆转促不断，栗栗辚辚如珠贯。缓声展引长有条，有条直直如笔描。下声乍坠石沉重，高声忽举云飘萧。……"

你看这位香山居士倾听音乐何等真切！这诗中有几句又叫人回想起来上文提过的《乐记》中形容歌声的"上如抗，下如坠，端如贯珠"。白诗不啻在为之作注似的。于是又叫人觉得，中国音乐的"理"与"感"，是渊源有自、一脉相承的了。当然，无论是乐曲、演奏技巧，还是听众的欣赏能力，都又发展到了新水平。新的血液、营养流进了脉管当然是一个重要因素。琵琶、觱篥，像昭陵前雕的鸵鸟一样，也是外来的。

绘声写乐的唐诗，为后人留下了唐乐的影子，但这还并非诗乐因缘的全部。

唐诗本来就同音乐抱成一团了。它是合乐的。唐诗是可唱的"声诗"。

王之涣的"黄河远上白云间……"，王昌龄的"寒雨连江夜入吴……"，不是旗亭酒肆中的歌声吗？

王维的"渭城朝雨浥轻尘……"不是长亭送别者传唱之曲吗？

李太白在沉香亭奉召而赋的《清平调》，是随即配乐而歌的。

白居易之诗不但"老妪能解"，不但"童子解吟长恨曲"，而且"胡儿能唱琵琶篇"（唐宣宗吊白氏之诗），竟成了流行歌曲了！

诗乐不分家，"共存共荣"，是老传统，而唐诗唐乐之打成一片是更进了一步。唐乃诗的盛世，又是从唱诗唱曲的音乐化的社会。唐人如此爱诗爱乐，所以那最适宜入乐歌唱的"绝句"体也便成了唐诗金库中最富生气、最有魅力的新诗体了。

前文提过，谢无量很可惜《楚辞》的四美只剩下文词之美。今天我们吟咏唐人绝句，也不可只赏文字，而还要尽可能在联想中补上那音乐之声，那才更有滋味。

一代有一代之新音乐，也便一代有一代之新诗体。从《三百篇》到汉魏六朝的诗体之变，都同那和诗同在之乐的变分不清。

唐一变，至于宋，诗乐关系又有了新情况。

诗到了宋代，渐渐地没人唱它，它也不大好唱了。朱谦之说得不客气："宋人本不知诗的唱法而强做诗，所以做出来不是尖新就是生硬。"

平心而论，宋人之求新求变，在"好诗已被唐人做尽"（鲁迅说的）的压力下也有其不得不然的原故。散文化的拗体，虽不可歌，却也未尝不可当做"新派"音乐来听。

其实如从广义的诗歌的衍变来看，诗在唐以后同音乐是结合更紧，拥抱得更热烈了。原先的诗虽已同乐分离了，但却生出了"长短句"，也就是词。而词这东西，正是从诗与乐的结合中孕育出来的！词不但可歌，而且在文字同音乐的结合上要求更高了，音乐性更加强化了。

无论是作为歌词的文字和同它结合的乐曲，双方都在向着更丰富更细致的表现发展。粗浅地举个例，唐代的绝句虽然在合乐歌唱时总要加些不必有实义的虚字（"和声"），但还是短短的。一变为词，文与乐都膨胀起来。五代的《浪淘沙》不过二十八字，宋代的《浪淘沙慢》则有一百三十三字了。

清朝人方成培说："古者诗与乐合，而后世诗与乐分。古人缘诗而作乐，后人倚调以填词，古今若是其不同……"

倚声填词，并非一开始有词的时候便如此。先作新词，再谱新声，这种情况也许倒更多。只是到了后来，流行的现成曲谱愈来愈多了，一班渐已对音乐不甚内行的文人也许更乐于以词凑谱。只有周邦彦、姜白石那样深谙音律者，才会有能力有兴趣去搞"自度曲"。

一到了词家只会得就谱填词之时，也便快到词、乐分手，词乐渐归亡失之日了！而自古以来的文人与乐、诗与乐之间的缘分也发生了变化。

不但是诗已不复有人歌之而已，明清时代，虽尚存几种吟诵古诗的腔调，但那腔调是个不变的框架子，不管哪一首都可填进去哼，再不是唐声诗的各有其曲了。民国以来，连此种吟诵调也失传了。于是在课堂、广播等场合，旧诗被朗诵时，成了一种古怪的腔调。

诗不复可歌了！词调也失传了！诗与乐也便"合久必分"了吗？

从外在之乐看，的确如此。然而，从深处听，却还是"诗中有乐"，诗中有其内在之乐，而那是更微妙莫测的。

旧体诗词何以有那么大的魅力，不仅迷住了古人，而且那魔力至今不衰，连一些原先的新诗人后来也丢开了新诗大做其旧体诗？

"原因是多方面的"。窃以为，内在的音乐性是一个极其重要的因素。

即使是形式简朴的四言诗，《诗经》中的许多名篇，今天朗诵或只默读，仍然不能不从中直感到音节声调的和谐之美，这美感正是它内在之乐的乐感。

读读《关雎》吧，你就会觉得它那温文尔雅的声调同诗中内容是契合的。但其中又有变化。从第五句起，"参差荇菜，左右流之……悠哉悠哉，辗转反侧"，声调又变得铿锵流动起来，又是另一种乐感了。

《诗经》中乐感甚浓的警句，俯拾即是，如："泛彼柏舟，亦泛其流，耿耿不寐，如有隐忧。"又如："青青子衿，悠悠我心……挑兮达兮，在城阙兮，一日不见，如三月兮。"

还有那种突破了四言节奏的："知我者谓我心忧，不知我者，谓我何求。悠悠苍天，此何人哉！"读此，岂不像是听一首无告者的悲歌？跳过四言诗的时代，读读汉代的五言诗看。例如《古诗十九首》中的"青青河畔草，郁郁园中柳""涉江采芙蓉，兰泽多芳草"，我们又觉其中流动着一种沉郁的旋律，那似乎成了五言诗的基调。

时世与人情的变动催促着，诗体诗风也不得不变，沉郁的五言节奏与声调渐渐变成了七言体。开始的七言诗念起来还不免是夹生的，欠和谐流畅的。终于，豁然开朗，光华一片，奏响了灿烂的唐音！

初唐之诗，虽还是前奏，也已响彻了新节奏新旋律。像卢照邻的《长安古意》和骆宾王的《帝京篇》，虽说境界不高，但那与绚烂之辞藻交响着的铿锵流美的旋律美是令人不觉为之心醉的！

特别可赏的是闻一多激赏的那篇《春江花月夜》了。那竟可当一篇用语词谱成的"音诗"来玩味，徒赏其写景写情之美就不免辜负了诗人的苦心了！像这样的诗，绝非仅仅诉之于视觉语感的。这是不必借助歌唱，全靠汉语声调特色来营造的音乐。

诗有韵律之美，还可利用语音的效果，中外皆然，但中国旧体诗在这方面更有其独特之处。

宋人不再唱诗，抛掉了那外在之乐。宋诗的内在之乐也变了。很有趣，朱熹评江西诗派的吕本中，说他"本欲字字响，而暮年诗多哑"。的确，"唐音"几乎都是"响当当"的，不过在不同时期、不同作者中那"响"声真是各式各样。李白的诗何等嘹亮！老杜的声音便沉郁了。

宋诗离开了歌唱，宋词却又同歌唱更紧紧地拥抱，词乐亡失之后，词中的内在之乐犹在。那却是比诗中的内在之乐更奇妙、微妙的。

说诗词中有内在之乐并非故作玄谈。

且不管莱布尼茨是否说过，汉语的确是有丰富复杂的音乐性。这音乐性的来源，主要是"四声"。而所谓"四声"，其实就是高低曲折的音程、旋律。拿一把二胡或是小提琴来，这现象便可以演示给你听。前文讲的那个传说中，秦姬在琴弦上传话，正是用了模拟"四声"的方法以模拟说话。"四声"的音调当然简单，但是把它按不同的方式连接组合起来，便有了变化多端的节奏与"旋律"。

古人起初还只是凭着感觉运用"四声"，声调质朴无华。

齐、梁之后，诗人更加有意为之，于是声调便更加铿锵，"旋律"也更加丰富了。

《诗经》中的内在之乐虽然质朴，其中的天籁却并不简单。清人钱大昕从"三百篇"中听出了古人运用双声叠韵之妙。他在《音韵问答》中极口称颂："其组织之工，虽七襄、报章无以过也；其音节之和，虽埙篪迭奏，莫能加也！其尤妙者"，"角枕灿兮，锦衾烂兮"，不独"灿""烂"韵，而"枕""衾"亦韵；"锦衾"叠韵，"角枕"又双声也。

周朝的民间诗人还没有"双声、叠韵"的概念，只有那感觉。到了齐、梁之际，文人便有了自觉。所谓发现了声调之秘的沈约，他有一段有名的文论："欲使宫羽相变，低昂互节，若前有浮声，则后须切响。一简之内，音韵尽殊；两句之中，轻重悉异。妙达此旨，始可言文。"这岂不就像是在谈音乐，谈作曲！（这里的"文"当然指的是骈四俪六之文。）

利用双声叠韵来强化音乐效果，只是"诗中乐"的手法之一。"四声""平仄""选韵""换韵"等在乐感敏锐的大诗人手中，可以制造出微妙不可言的音乐。押韵与不押韵有如"和声"之协和与不协和；转韵有"转调"之效果；诗人的炼字，可比之为"配器法"。"悠然见南山"用"南"才够味。"僧敲月下门"之"敲"，"琐窗深"之"深"，煞费斟酌，也同乐感有关系的。

汉语之富于音乐性，不止表现于诗、韵文，在散文甚至口语中都有其例,《晋纪》中记了裴遐"辞气清畅,泠然若琴瑟。"《宋书》中说张敷"善持音仪,尽详、缓之致,与人别,执手曰:'念相闻',余响久之不绝。"

诗人赋诗,似乎是在用汉语作为音符在作曲。虽然不一定都那么自觉,也并非刻意追求声律之美,但是"天机启则律吕自调,六情滞则音律顿舛。"(沈约)朱谦之解得好:天机即情感,情感充实便自然协于音律。

总之,诗外之乐,其乐已亡;诗中有乐,其音微妙。了解了这两个方面,我们也便对诗与乐的因缘有了更全面深切的理解。

三、泠泠七弦上

中国乐器当中,什么乐器最古老?七弦琴。什么乐器性能完善、表现力强、而又最有特色?七弦琴。什么乐器与其乐曲最能反映中国音乐在理论、创作、演奏上的高水平?七弦琴。什么乐器与其乐曲同诗歌有最亲密而悠久的关系?还是七弦琴!

"不知子都之姣者,无目者也!"(《孟子》)不知七弦琴之美之妙者,竟可谓不知中国音乐。

当然有比琴更古老的,例如前文提过的埙。但它既未发展成熟也无发展前途。有同七弦琴同样古老的瑟,但其性能有局限,唐以后便成了古典乐队中的陪客。有比琴更普及的琵琶,但它是汉以后才传入中华的，虽已华化，论其表现力，终逊七弦琴一筹，至于中华特色，更无从同七弦琴相比。

谈过前两个话题，再来谈七弦琴，正也顺理成章。

读春秋战国之史、诗与诸子百家之文，处处可以碰到琴这乐器。翻开《诗经》，第一章里便有"琴瑟友之"。

王侯贵族的乐队中有专业的琴师。例如师旷，孔子曾向他请教乐理，向其学弹琴。

而民间也有杰出的高手。伯牙与钟子期以琴交心，是古今传颂的美谈。伯牙向成连学琴，老师故意将其留在荒岛上，让他听天籁、悟琴道。那是更浪漫的一个美妙的传说。

古琴之古，既有大量文献可征，也有不少出土文物为证。可以想象，先秦时代，上自王侯下至黎民百姓，都喜用它来伴唱歌曲，或倾听能手弹奏。许多神话式的传说，像师旷奏琴能使玄鹤起舞，师涓奏琴能使天地变色，神鬼皆惊。可知琴在那时已发展完善，成了可以供名手大显身手的乐器了。传说虽荒诞，却也可证琴曲之迷人与听琴者之入迷。夸大则有之，无中生有则不可能，从传说中可以透视出某种真实来。

七弦琴不但是古色古香，而且这道乐流从来没断过线。它为后人提供了从史中求乐的最有用的线索。

在中乐文献史料中再没有比琴学更丰富的了。两千年前的西汉末年，便有大学者刘向写的《琴说》。随后到了东汉，多才多艺的文人桓谭，在其所著《琴道篇》中已经接触到了有关琴曲的制作、演奏、琴论、琴史、琴曲介绍等诸多方面的问题。东汉末世的大文人、大音乐家蔡邕所写《琴赋》《琴操》，更是记述古代琴曲的专著。到了晋代，嵇康的《琴赋》，既论琴艺，又论琴曲，是一篇精彩的诗体琴学论文。自此以后，历代有关琴学的文献更加蔚为大观。虽然经受水火兵虫之厄，亡佚了许多，留存下来的仍有很大数量。

从古曲中直接倾听古人的心声，是我们最渴望的了。那么今日可以读到的最古老的乐章是什么呢？

是《碣石调·幽兰》这首七弦琴曲。这首古曲的谱是唐人手抄的古谱。其音调之渊源可以曲折上溯到六朝以前的汉魏时代。

此外，虽然不像《幽兰》这样有唐人手迹来证明其时代，但却可借助文献寻觅其来踪的古代琴曲还有一些，如：《广陵散》《乌夜啼》《梅花三弄》等等，至于可确认其为宋、元、明代之作的那就举不胜举了。

古琴曲虽历经浩劫而犹有留存，多亏两个条件。一是七弦琴很早便有了自己的记谱法。

《碣石调·幽兰》总共才四段。今人演奏此曲约用十一分钟时间。但那份古谱用了四千多个汉字来记录它。像这种用文字来描述如何在琴上弹奏的"文字谱"，今天读起来是非常可笑的。话虽如此，有谱总胜于无谱。假如没有那一卷笨拙烦琐的手抄谱，这首古曲之声又待向何处追寻？

自唐以后，改进了的"减字谱"比"文字谱"大为省便。《幽兰》第一行用了十九个汉字才能说明的弹法，"减字谱"只消一个符号便解决了。那也便是一千多年来沿用到现在的琴谱记写法。《红楼梦》中，宝玉见黛玉弹琴，诧为"天书"的便是这种"减字谱"中的符号。尽管它仍然是不科学的"手法谱"，我们能保存、演奏、听赏宋元明清以来的古琴曲，也多亏了它。

大量古琴曲能延续其音乐生命，又有赖丁历代琴人之亲身传授。

蔡文姬的父亲蔡邕便乐于传授琴艺，南北各地都有他的琴徒。叹息"广陵散从兹绝响"的嵇康，他也是向高人学得此曲的。

无谱可依的时代，只能靠面授；后来有了记谱法，而并不准确，仍离不开师傅的口传心授。从乐史文献中看出，历来琴人之众，成为一个可注目的队伍。师弟相承，同好切磋，旧曲便因此而薪尽火传了。

古老琴曲之可珍，固然因其为史中之声，听琴可以置身史境，与古人通呼吸；但也因为古琴音乐的艺术造诣确是高超，经得起千百年时光之磨洗。且以二曲为例。

即使从来不听七弦琴的人，也不会不知道《广陵散》这个曲名吧。嵇康临命从容抚琴的轶事，实在是一曲动人心魄的史中乐！此曲也因而不朽了。

　　其实此曲有更远的踪迹，东汉末便已见之于记载了。"《广陵散》从兹绝矣！"实际上也并未绝响。自唐以来，辗转传授中又经不少人的加工，到了明初便有了今天所见的定本。

　　遥远的史景中不但有嵇康的特写镜头，还有此曲是以聂政刺韩为本事的传说，而那也是一出大悲剧；遂使千年古曲又添了浓烈的乐外"和声"，格外地强化了它的史感与乐感。

　　但是此曲并非只靠背景为吸引人的广告的。如其怀着对中国古乐的热烈憧憬，诚意地倾听，便会惊叹曲中不但有真情，而且在乐艺上实是不凡。它那情感像是要溢出于弦外的。又像是一种深沉的沸腾。有时又激化起来，令人觉得那怀着深仇大恨者是在瞋目切齿，像要啮碎了自己的心！贝多芬的《热情奏鸣曲》是喷发中的火山。那么《广陵散》可以形容为待喷发的火山。几千年中人民的种种烦冤苦痛似乎都浓缩于这篇"不平则鸣"的音诗中了！

　　从结构之自然而又不简单，乐意之发展丰富多变等等来看，再想想那创作年代之古，更是令人赞叹。将其同西方名作并列于音乐会节目单上，是毫无愧色的。

　　另一篇虽古犹新的杰作是去今八百年前的南宋人创作的《潇湘水云》。

　　此曲的作者与创作背景在史料中有明确的记载。尤其那曲谱的保存和传授也从未中断。这也就保证了我们今日所闻者符合于原貌。这对于了解宋代琴乐的情况是极有用的。

听这首八百年前的作品，有一种时空错综的复杂感受。一方面感到它真是古意盎然，深入乐境，又会令人渐忘其古，只觉得是面对面地倾听作曲者郭楚望以乐浇愁，诉说他对那个时代的忧患之情。他无意于描山画水，他只是要借景抒情。潇湘景物的愁云惨雾同他伤时忧世的郁闷之情打成了一片。景物随着扁舟的行进而变换，舟中人愁绪万端也跟着起伏动荡。时而也有激昂慷慨的悲吟，然又终归于茫然自失的浩叹。

八百载的悠久竟然冲淡不了它的强大感染力，此曲同《广陵散》一样，可为七弦琴有巨大能量与中国琴艺的高水平作证。

像此二曲这样的大型琴曲，古称"操弄"。此外，还有大量小品，所谓"调子"，其中有不少就像唐诗中的绝句一样精妙。语言不多而境界不浅。

例如有一篇传世之作是来源于唐代的《极乐吟》。它可以将柳宗元的小诗《渔翁》（"渔翁夜傍西岩宿，晓汲清湘燃楚竹。烟销日出不见人，欸乃一声山水绿，回看天际下中流，岩上无心云相逐。"）作为歌词配上去唱，成为所谓"琴歌"。但作为"无言歌"来弹和听则更有味，因为更能表现七弦琴那近人声而又超人声的独特神韵。

又如一首传为苏东坡所谱的《秋江夜泊》，完全称得上一篇标题音乐小品。它使人忆起乘小舟夜宿时风摇浪摆的感受。它写实而又抒情，所抒正乃赤壁夜游那种情趣。在作曲与弹奏上巧妙地发挥了七弦琴的吟猱效果，把船身的动荡，水波的起伏和帆墙的吱吱嘎嘎声都形神兼备地音乐化了。

琴曲音乐之妙，得力于这一乐器之性能与弹奏方法的特色。那特色，在世界古今乐器中也许是绝无仅有的。

人类的音乐，大体上是先有歌唱而后有器乐。器乐的演奏以"如歌"为贵。

七弦琴是弹弦发声的乐器。其他的弹弦乐器如瑟与筝等是弹一下发一声。琴则不同，可在弹出一声之后，乘其余响悠然之时，移动按弦之指，改变音高，得出另一音乃至更多的音。这样不仅可使那些乐音连接得紧密圆滑，利于"如歌"，而且其韵味特殊，比二胡、小提琴之类擦弦而成之声更为轻灵微妙。琴有指板，而无品柱，故可用此移指变音之法，其他有品柱之弹弦乐器都不能。

除了移指变音，琴上还可利用指板和琴音的余响悠长以运用吟猱与装饰音来美化、强化曲调的表情，使之如歌似语。因之七弦琴音乐获得了极强的歌唱性。

然而器乐的进化又并不仅仅以"如歌"为极致，它要有不雷同于人声的自己的语言。而七弦琴在器乐性这一点上，也有突出的性能与独特风味。

试听以琴音写水的《流水》，那就是一首充分发挥其器乐性语言的作用而取得了标题乐效果的妙品。

听《广陵散》《潇湘水云》等作，更可感受到其中把歌唱性同器乐化交织、交融为一体之妙。我们仿佛听一个美妙歌喉在高吟低唱，时而在痛苦呻吟，时而悄然自语；那"人声"的乐感是极强的，谁说"丝不如竹，竹不如肉"呢！然而它同器乐化综合起来，又远远超越了人声的表现力了。

七弦琴的声音也有其独特之处，低音深沉，高音清越，渊渊有金石之韵，近乎自然天籁。既有令人一见倾心的魅力，且又十分耐玩。同一音高的音可在不同的弦上奏出，以控制音色。还有各种弹与按的指法来制造微妙的音响，为音乐表情提供了丰富的手段。尤其可夸为所有乐器中之绝色的是其泛音。比西方克里蒙那人制作的小提琴古老一千年的唐代名琴，有命名为"九霄环佩"的，用以形容七弦琴的泛音之美也不为过。

不少琴曲是从古代民歌演变而来。《雉朝飞》是其一例。《碣石调·幽兰》原先也是有词可歌的。《乌夜啼》最早是南北朝时流行于楚地的所谓"西曲"中的歌调。

中乐之流绵绵不绝，那源头活水当然主要来自民间；然而中乐特色之一又表现在文人与乐的密切关系。诗乐因缘，前文谈过了。而文人与琴的关系也成了琴乐发展史的中心内容。不妨说，从那位用"琴挑"打动了新寡的卓文君、情愿跟他私奔的司马相如开始，琴史便同文人难分家了。

为皇家校书二十多年的西汉大学者刘向，所作《琴说》概括论述了有关琴曲创作与演奏的问题。

东汉的桓谭是有新思想又多才多艺的文人，深通乐理，精于琴艺。他的名著《新论》中有《琴道篇》，可惜已经亡佚！

东汉末的大文人蔡邕，是七弦琴大师，创作了琴曲《蔡氏五弄》，又写了介绍琴曲的重要著作《琴操》。

魏晋时代，"建安七子"中的阮瑀，"竹林七贤"中的阮籍、阮咸，都是操琴名手。而嵇康不但琴艺高绝，还作了一篇《琴赋》，是精彩深刻的琴学论文。他还是名曲《嵇氏四弄》的作者。可见《琴赋》中对演奏的描述绝非空泛之词藻了。

隋唐、两宋，或在民间，或在宫廷，出现了众多专业琴师。但是文人与琴的关系始终密切，可以说明唐代诗人对琴爱好之深的，又是"有诗为证"。

唐诗中咏琴之作是大量的。李白、岑参、白居易、元稹、韩愈……名篇警句，不暇列举。其中，李颀的《听董大弹〈胡笳〉》、韩愈的《听颖师弹琴》可为代表。诗中所传递之诗人听琴的感触，让我们间接了解到当时琴艺水平之高，同时也便领略到那听琴者真正是琴的知音了。

文人爱琴（其实众多专业琴师也算得上半个文士），不但欣赏，而且既弹又作，这自然不能不对七弦琴艺术的发展施加影响了。文人爱画，导致了"文人画"的出现，如要寻"文人乐"，那似乎在琴乐中不难找到。

采集民间创作，把璞玉浑金琢成精美的艺术品。这是一种，蔡邕是其一例。

与琴师合作，为琴歌填词改词，又是一类。东坡可为代表。

至于作琴论、琴史，编辑琴谱，为推广琴学鼓吹的文人学者，那就更多，难以列举。

古往今来的文人中有两个同琴颇有缘分的，其人与事颇可唤起我们的史感与乐感。

一个是南宋的姜白石。他作的词，格调高绝。他又是一位精审音律的音乐家。除了倚声填词之外并能自创新声的，词家中并不多见。他却善于"自度曲"，为己作配上新声。这样的作品歌唱起来诗与乐自然更加契合无间了。他的《白石道人歌曲》集中为后人保存下了十来首词调的乐谱，是迄今为止人们所能见到的最古老的词调谱了。集中的十七首词，除了三首以外全是他的"自度曲"，词中绝唱《暗香》《疏影》《扬州慢》的曲谱，赫然都在其中！

《白石道人歌曲》中还收了琴歌一篇，有曲有词，题为《古怨》。这也是他的创作。此曲有奇处，它不但用了七声音阶，而且还用上了七声音阶以外的音（相当于今日所谓"临时音"）。同我们听惯了五、七声音阶曲调相比，那味道是异常新鲜的。此曲还用了特殊的调式（侧商调）与特殊的定弦法。姜氏谈到他所采用的侧商调时说："取变宫、变徵散声，此调甚流美也。"可见是有心追求新鲜的效果了。

还有一位嗜琴的名士，因其去我们更近，联想也便更为亲切，他即是写了《陶庵梦忆》的明末的张岱。

从《陶庵梦忆》和《琅嬛文集》中可以知道，张宗子也是个古琴迷，是"绍兴琴派"中一分子。此派乃是当时同"虞山派""江西派"并称的一支琴派。琴派之兴与盛，大概是宋以来之事，也正反映出琴学的兴旺。

张岱说他只用了半年时间就学会了二十余曲，其中有《雁落平沙》《乌夜啼》《高山流水》这种技巧难度大的大型"操弄"，也可见其善学和乐兴之浓，而其水平也不可以业余爱好论了。他同琴友们结成了一个"丝社"，"月必三会之"。

他不但学得快，弹得好，还敢于对名手的长短发表评论，认为教过他的王本吾"指法圆静，微带油腔"。又评论了几个同门，有的"得本吾之八九而微嫩"，有的"得其八九而微迂"，而自评为"练熟还生，以涩勒出之"。

更有趣的是他得意地记下了一个他同师友们齐奏的场面："取琴四张弹之，如出一手，听者骇服！"

从这些有实感的报导中可以知道琴艺在文人雅士中的流行，是生动的乐史资料。

琴乐文人化、雅化了，有得亦复有失。琴曲中既有载圣贤之道、儒气薰人的《龟山操》《猗兰操》《获麟操》，又有《挟仙游》《颐真》之类有道家色彩的作品。更令人喷饭的是有一班腐儒冬烘冒充风雅，滥作琴歌，把已经器乐化了的琴曲，一字一音地硬填文字；或又反过来，将诗、词、散文刻板地逐字配以音符。例如明代有用此法配谱，把《四书》中文字化为根本不可歌的"琴歌"，倒可说是开"语录歌""老三篇歌"之先河了。这是诗乐结合中的怪胎。

"文人画"虽说为国画注入一些新气息，但其末流也影响了国画偏离了形神兼备的写实的正道。琴乐沾上了"文人乐"的气味，也产生了消极的后果。士大夫的精魂不散，儒、道思想意识的杂糅，可能便促成了它在创作与演奏上的一味崇尚中正和平清微淡远。

七弦琴本该有更健康的发展，可惜它蕴含的能量并未进一步发挥出来。可嗤亦复可恨者，迂儒自古以来便用"雅""郑"之分来拒绝中乐的自然进化。以琴而言，从原先的只弹简单的实音（按音）、散音（空弦音）发展到利用吟、猱、指法以"如歌"，利用音色空灵的泛音以加强器乐化的表现力，这本是极可喜的进步，然而正统守旧之徒偏偏不以为然。可叹的是连深通乐理、"十二平均律"之发现要归功于他的朱载堉，也竟说什么"凡琴之曲，有雅有郑。郑卫之声贵泛音而尚吟猱；雅颂之声贵实音而尚齐撮……世俗琴曲，……吟猱多而齐撮少，古所谓郑、卫之音"。

《雉朝飞》这首可以上溯到汉代的古曲，明代有人编辑琴谱，却嫌它音节急促，不"雅"，摒而弗取。

《广陵散》多了不起！朱熹却反感："以某观之，其声最不和平，有臣凌君之意。"这位大儒其实很博学，对七弦琴也很了解。明代大文人宋濂也唱一个调子："不可为训，宁可为法！"

儒者要将琴乐当做宣扬教义的工具。文士要拿琴来宣泄闲
情逸致。唐宋以后，中乐黄金时代已去，七弦琴这最古老、同
诗与文人的结合最亲和的乐器，也呈现出下世的光景。

音量太小，靠吟猱滑指造成的细腻曲折的音调更难以传送
到大庭广众的耳中。唐代名手制作的古琴，声音妙极了，但自
那以后，不但没有不断改进，反而每下愈况。

如此种种，便使得它同听众互相疏远。就连大多数文人也
同它疏远了。于是到了近现代，七弦琴成了"古琴"，七弦琴
音乐也成了"今人多不弹"也不听的"古调"！

四、诗乐疏离　文人非乐化

古乐往矣！求之于史中，味之于诗中，赏之于泠泠七弦之
上，虽不免捕风捉影，恍兮忽兮；但也令人对古乐之辉煌灿烂
越发的憧憬了。

最可憧憬的自然是中乐史上那两次"灿烂的爆发"了。只
可惜从唐、宋之后，出现了一条下降的曲线。这却又同西方
音乐异趣。从文艺复兴时期开始，西乐像从沉睡中一觉醒来，
加速步伐，赶上且超越了其他艺术，到18—19世纪便达到了
高峰。

中西这双曲线的一升一降，正像中西科学的盛衰那样，是
令人慨叹深思的。

我写这本小书，思路是想捉摸中乐史的特点。特点中应该

包含着弱点。

中世纪以来，西方音乐的发展，突出的现象是从单声演变成多声，有了和声、复调，而且越来越复杂化。

返观中乐又如何？直到清代，西风东渐，引进了西乐为止，中乐的手段只有旋律。虽然早在周代便有了笙，它可吹奏双音，琴、瑟、筝之类乐器上也并非不能奏出和声；民歌、民乐中偶尔也可见简单的多声音乐；早在春秋时代，齐国的晏婴便在同齐景公的对话中发挥"和"与"同"之相异的道理；但从这些萌芽中始终未能生长出中国的和声复调。

前文说到明末的爱琴者张岱，他和琴友们"取四琴弹之，如出一手"。"听者骇服"，而他自己的得意之色也跃然纸上了。其实那不过是大齐奏而已！

听《广陵散》《潇湘水云》《平沙落雁》，或是笛曲《鹧鸪飞》，琵琶曲《十面埋伏》，或是刘天华、阿炳为二胡写的作品，我们禁不住要惊叹，单靠一条旋律线，古人竟能编织出乐意如此丰富的音乐！但同时也不免遗憾：设使我们也能较早地拥有多声音乐的作曲与演奏手段，则中乐之成就又将何等的伟大壮观！

赵元任有一段话不难理解："没有和声……连单音上也没有多少发展的余地。单音音乐只有一度的变化的自由，仿佛是一段彩色的窄带子，一段红一段绿……要是有不同的音乐同时进行，那就有两度的变化的自由……拿两度的无穷比一度的无

穷，这第二种'无穷'当然要'穷'得等于零了！"(《新诗歌集序》)

西方的和声复调并非得自天赐，中国的土壤上没能生长出多声音乐，也不怨历史的偶然。音乐理论家沈知白对这个问题有可信服的分析。他从中国文化生活的特点，封建伦理思想的特点，以至语文的特点诸方面找出了障碍。例如，西方男女在一起歌唱，由于音域不同，难以齐唱，于是自发地产生了相隔五度、四度而平行地合唱，促成了最早的一种和声的形成。中华自古便礼教森严、男女有别，连男优女伎同台演剧也不许可。民间男女相聚而歌也不可。即使有此种机会，往往用假嗓唱法解决音域不同的矛盾。那么平行四五度和声也就无有产生的机会了。

中国古人为何满足于简单的八度、五度、四度音程的协和，不想寻求更多样的和声效果，这又同五声音阶占优势有关。沈知白的看法是：五声音阶的音调适足以表达"顺应自然以求安适"的性情，"恬淡闲适、优游逸豫"的生活情调。而简单的五声音阶也就因此同儒家的中庸之道和老庄的清静无为的思想情趣完全合拍了。纵然自汉以后不断有外族音乐传入，被中乐吸收融化，但正像中国文化对异族有强大同化力一样，外族的各种乐调几乎都被同化改造成了五声音阶的音调，以适合古人的生活习惯、伦理观念与审美情趣了。

对于阴阳五行和"五"这个数字的迷信，将封建道德的

"五伦""五德"同音乐的五声（宫、商、角、徵、羽）牵合在一起；可能也是五声音阶被视为"正"音，而将其他音阶与变音视为"犯声""郑声"的一个音素。唐人引进殊方外族之乐，"拿来便用"，这正是唐代成为音乐盛世的一个重要原因。可笑也可叹的是那些长着一副正统耳朵的人却觉得新的音阶、调式和变音"噍杀粗厉、流辟邪散""大失雅乐之旨"，竟将其或削或改，实行"用夏变夷"！

中乐之特色同汉语的音乐性有难分难解的关系，前已说及；谁知这个情况也可能不利于中乐向多声复调发展。

沈知白以为，传统歌曲迁就声韵，或与语调密切结合，歌词的格律、字音的长短抑扬限制了曲调的变化，唱者往往顺了语调的起伏之势运用滑音或拖腔。但是多人合唱，那些唱法就难以适用了。古来仅有一唱众和的"徒歌"，却没有复调形式的，也许汉语的特点起了作用。

声乐如此，器乐也相似。以七弦琴而言，重用吟、猱与滑音手法，实则也便是在模拟吟诵与歌唱。

汉语这音乐性语言影响中乐特色的形成与发展，其间之得与失是复杂而辩证的！

同样是复杂而辩证的现象也反映在诗与乐、文人与乐的关系上。这种关系，自宋以后，也画出了一条下降的曲线。

诗与乐自古以来便有合有离。前文说过，《风》《雅》《颂》本可弦歌，到了战国便没人会唱了。汉之《乐府》是采自民间的歌谣，以后辞存而曲已佚。唐诗宋词本与乐合为一体，宋人不复歌唐诗，到了元、明，词也暗哑了。北曲、南曲中的曲牌连引车卖浆者也会哼几首，不止流行于文士中。到了清代中叶，知道唱昆曲的文人也稀少了。

唐代诗人的听功（范晔语）何等高明，而清人咏乐之诗似乎没有什么传诵之作。西琴东来，本该唤起诗人的新鲜感吧？读赵翼在北京天主堂听管风琴的那首长诗，却叫人气闷："紫玉凤唳箫，烟竹龙吟笛……寒泉涩筌筷，薄雪飞觱篥……"既不知其何所闻，也莫明其何所感！

另一位文士于沪上听美国女郎奏的也是西琴，"初如仙驭乘云軿，鲸鱼鼓浪奔雷霆。忽然廉折亮以清，孤鹤远唤来遥汀。细如珠露花间淋，急如骤雨泻高瓴……"

徒然搬弄古人听中乐的旧语言来写其所接触的西方之声。文不对题，词不达意。听乐的能力也退化了，而这是由于对音乐的无知亦无爱！

往昔的情况是旧乐消亡而新声代兴，陈去新来，是一种前进上升的路线，到唐、宋而臻于极盛。然而明、清以来，却成了直线下降的趋势。

诗与乐到了现代几乎是把关系完全拆散了！新诗之难以扩大影响争取读者，取代旧体诗，不但读者冷淡，连新诗人自己也纷纷大做起旧体诗来，诗乐分离恐怕也是一大原因吧？

旧体诗虽早已与外在之乐断了交情，然而其内在之乐固犹在也。新诗则除了讲究格律的一类以外，连这"内乐"也丧失殆尽了。许多"五四"以来的新诗固然无人为之谱曲，实在也难谱；也不能琅琅上口，脍炙人口，让人一读便难以忘怀。

新诗名篇中有幸"载歌之翼"者寥寥无几。除了赵元任收在《新诗歌集》中的若干，竟举不出还有多少。自从赵公"尝试"了一阵之后，再无有心人去做新诗新乐的撮合人。比起西方艺术歌曲的繁荣来，又是一个难堪的对照！歌德、海涅等诗人的名作一经舒伯特、舒曼他们谱曲，更加流传众口，中国新诗之未能插上音乐翅膀，是不是一半也要埋怨诗人的无心与音乐配合呢？

如果有更多的新诗人能像徐志摩那样爱乐而且知乐，讲求诗中内在乐感；又有更多的音乐行家如赵元任那样有心革新中乐，追求民族风味，双方协作，谱制出如《海韵》那样诗乐兼美，珠联璧合的艺术歌曲，则新诗新乐两蒙其利是可以想象的了。而黄自等杰出的乐人也能找到有价值的新诗谱成不朽之作，不必勉强采用一些格调不高的歌词了吧！

新诗对音乐冷淡隔膜，不是个别现象。《尝试集》的作者从认为"中国戏剧一千年来力求脱离乐曲一方面的束缚"，进而主张"废曲用白"。这种对中国文学演进的看法，大受朱谦之的抨击。其中将歌剧与话剧混为一谈且置不论，他那对音乐的不感兴趣却已昭然。在他晚年同唐德刚的谈话中，无一语谈到音乐。他对词的声韵虽谈得头头是道，听谈者佩服得五体投地，可惜他却不能像俞平伯那样唱曲。

清华园国学研究院三导师中，赵翼后人赵元任是最爱乐的一个，陈寅恪早年在欧洲求学，一有机会便去欣赏西方歌剧，暮年失明，又以听皮簧为一大享受。但此二者人皆不知其详。梁任公坦然自承："吾人不知乐。"其实当年流亡扶桑，利用民歌小调填以新词，用之于舞台剧中，借以鼓吹变法维新，他倒是颇重视也会得利用音乐这工具的。

对西方之乐感兴趣，新文化人中除了赵元任恐怕首先要数徐志摩了。写有关听乐的文字也是他为多。在大学讲坛上还劝学生去听音乐会，教他们"要综合的听"。

从《欧游杂记》中可知朱自清赏乐之兴甚浓，而他注视关心诗与乐的关系，尤其难得。他不但把新诗的普及寄望于诵新诗、唱新诗，而且设想西化之乐与本土之乐并举，主张皮簧与大鼓词都不妨进一步音乐化。

不但喜欢音乐，而且通晓乐律之学的是《扬鞭集》的作者[1]。他测定了故宫古乐器的音律，用他的语言学知识分析了汉语声调，还编译了《海外名歌选》。

创造社诸子，似乎只有田汉与陶晶孙是同音乐有交情的吧？后者既埋头弹洋琴，也写音乐评论。

文人好乐之例，举不出多少，反面的例子倒有不少。像知

1　指刘半农。

堂[1]这样博学多智也善于感受生活的文人，虽然在其早年的文章中说过"乐之感人为力至伟"那样的话，到后来似乎反而成了厌乐者。晚年写的《国乐的经验》一文中记听两琴师弹琴，自云"莫名其妙，自愧如牛"！

老舍自白："音乐，不懂！于是形容悦耳的声音只能说'音乐似的'。什么音乐？不敢说具体了啊，万一说错了呢！"

茅盾自己也说，他不懂音乐。

闻一多的情况不那么单纯，《红烛》《死水》中既有绚烂之色，也不缺少铿锵之声。晚年他又发现了抗战歌声的"狮子吼"作用，更激赏田间作品中的战鼓之声。然而他早期却又认为："音乐虽为诗所需，但不须太多。""吟唱诗要不得。""诵之诗在歌之诗上。"

从气质和机会来看，张爱玲本应该成为音乐的知音，但她的有关音乐的议论与描摹，却不免叫人失望。她只在音乐之外观察，无动于衷，音乐不过是人生戏剧的肤浅的配乐而已！

一个最可遗憾也令人费解的例子是鲁迅。

读其文，尤其是《野草》，分明蕴含着浓烈的乐感，但他对音乐大不如他对形象艺术那样感兴趣，《全集》中议论音乐的文字只见两篇，而其中之一还是对徐志摩谈乐的反嘲！

明清之交，有个二三流的文士发了一通狂想："尝作一想，

1　知堂，周作人的号。

取尼父《猗兰操》、桓子野《挽歌》、孔明《梁父吟》、谢安《洛生咏》、嵇康《广陵散》、袁山松《行路难》、李太白《乌夜啼》；令相如鼓素琴，桓伊吹笛，高渐离击筑，弥衡挝《渔阳掺》，……拨清弦，发哀弄，人声天籁，雪颓云飞，……顾不乐哉！"（汪价《三侬赘人广自序》）

召集古之好乐文人，来一个大会串，倒也蛮有趣。其奈文人与乐疏离之势已难逆转，他这篇打油文字倒成了对古来文乐因缘的追悼。

要问文人"非乐化"是何原故，那当然相当复杂。但有几点粗浅的道理可得而言。

近世中国有大变动，中乐之流不归于"海"，反而淤滞不通了，而惶遽的文人也少有余裕与闲情玩赏音乐。雅乐不传，俗乐商业化，西方之音又涌流而入，那音乐比中乐太复杂古怪，文人的耳朵一下子很听不惯。如要认真玩索，清贫之士不但无此物质条件，连时间也贫困，而音乐乃是"时间的艺术"。

局促于亭子间中，靠一架手摇留声机，听几张已磨旧了的老唱片，连这些也不是人人可得而享受的。古时的文人，无论穷、通，总有闲暇这种财富。陶潜于躬耕之余还有时间弹弹他的无弦琴。近现代文人的情况便两样了。

西方音乐盛世在 19 世纪达到了高潮，盛极而难以为继，迫切地求新求变。于是新潮迭起，热闹了好一阵。展眼之间一个世纪又过去了。如果拿本世纪同前三百年的轰轰烈烈对照，西方音乐是不是在逡巡不前呢？岂但没有降生新的巴赫、莫扎特、贝多芬——更遑论超而越之。看一看今人爱听的曲目吧，往昔的经典之作仍然占有压倒优势。放眼看下一世纪，世界音乐往何处去？

希望之声很可能由中乐来奏响。

极富特色的中国音乐，仍然是未被充分发掘的宝藏，未被充分开发的资源。

春秋、战国和唐、宋时代的那两次"灿烂的爆发"太令人憧憬了！为什么不能再来一次爆发而且更加灿烂辉煌？

图书在版编目（CIP）数据

处处有音乐 / 辛丰年著；严锋编. － 上海：上海音乐出版社，2023.8
（辛丰年文集：卷五）
ISBN 978-7-5523-2654-3

Ⅰ. 处… Ⅱ. ①辛… ②严… Ⅲ. 音乐－文集 Ⅳ. J6-53

中国国家版本馆 CIP 数据核字（2023）第 124527 号

书　　名：处处有音乐
著　　者：辛丰年
编　　者：严　锋

———————————————————————————————

版权代理：学人文文化
责任编辑：王嘉珮　吴昕雨
责任校对：顾韫玉
封面设计：金　泉

———————————————————————————————

出版：上海世纪出版集团　上海市闵行区号景路 159 弄　201101
　　　上海音乐出版社　上海市闵行区号景路 159 弄 A 座 6F　201101
网址：www.ewen.co
　　　www.smph.cn
发行：上海音乐出版社
印订：上海雅昌艺术印刷有限公司
开本：889×1194　1/32　印张：7.125　插页：3　字数：131 千字
2023 年 8 月第 1 版　2023 年 8 月第 1 次印刷
ISBN 978-7-5523-2654-3/J · 2457
定价：55.00 元

读者服务热线：(021) 53201888　印装质量热线：(021) 64310542
反盗版热线：(021) 64734302　(021) 53203663
郑重声明：版权所有　翻印必究

`